EVEREST
1604

GEORGES SIMENON

13 Şubat 1903'te Liège'de (Belçika) doğdu. Çok genç yaşta yazmaya karar verdi. *La Gazette de Liège*'de gazeteci olarak çalışmaya başladığında on altı yaşındaydı. İlk romanı Georges Sim takma adıyla 1921'de yayımlandı: *Au pont des Arches, petite histoire ligeise.* Aralık 1922'de karısı, ressam Régine Renchon'la birlikte Paris'e yerleşti. Çeşitli takma isimler altında, birçok farklı türde popüler romanlar yayımladı: 1923-1933 yılları arasında yaklaşık iki yüz roman, binlerce hikâye ve sayısız makale. 1929 yılında yazdığı *Pietr-le-Letton (Letonyalı Pietr,* 1931) ünlü "Komiser Maigret" dönemini açan roman oldu. İster polisiye bir olayın etrafında gelişen ve genellikle sıradan insanların işlendiği; kusurlu, suçlu, yasadışı da olsalar onları yargılamaktan kaçınan, onlarla şeyler arasındaki ilişkileri daha iyi kavramak için onların mekânında onlarla birlikte yaşayan Komiser Maigret dizisindeki eserlerinde olsun, ister çeşitli çevreleri, durumları, karakterleri incelediği psikolojik romanlarında olsun, Simenon, insan gerçeğini, gündelik hayattaki trajediyi her türlü yapaylıktan uzak, sade bir üslupla kaleme almakta ve atmosfer yaratmakta son derece ustadır. Paris'te yaşadığı yıllar boyunca sık sık seyahat eden yazar, uzun bir süre (1945-1955) ABD'de kalmış, 1957'de ise İsviçre'ye (Echandens) yerleşmiştir. *Je me souviens* (*Hatırlıyorum*, 1945) adlı kitabında çocukluk anılarına değinen Simenon, *Pedigree* (*Soyağacı*, 1948) adlı otobiyografisinde onu yazar yapan unsurlara ışık tutmuştur. 1952'de Belçika Kraliyet Akademisi'ne kabul edilen Simenon'un eserleri sayısız dile çevrilmiş, ayrıca pek çok kez sinemaya uyarlanmıştır. 1973'te romancı kariyerine son verdiğini duyuran Simenon, 4 Eylül 1989'da ölmüştür.

TAHSİN YÜCEL

(17 Şubat 1933-22 Ocak 2016). Yakın dönem Türk yazınında gerek bilim adamı kişiliği, gerekse seçkin yazarlığı ve dil ustalığıyla öne çıkan Tahsin Yücel, 1933'te Elbistan'da doğdu. Galatasaray Lisesi ve İÜ Fransız Dili ve Edebiyatı Bölümü'nü bitirdikten sonra üniversitede kaldı, 1979'da profesör oldu ve 2000 yılında emekliye ayrıldı. 19. ve 20. yüzyıl Fransız yazını ve göstergebilim dallarında uzmanlaştı. Bu alanda, Türkçe ve Fransızca yayımlanan önemli bilimsel yapıtlar kaleme aldı. 50'li yıllardan başlayarak yazınsal ürünler de yayımlayan Tahsin Yücel, öykü, roman ve çevirileriyle ülkemizin tüm önde gelen yazın ödüllerini aldı (Sait Faik Hikâye Armağanı, 1955; TDK Öykü Ödülü, 1959; Azra Erhat Çeviri Yazını Ödülü, 1984; Orhan Kemal Roman Ödülü, 1993; Dünya-Yılın Kitabı Ödülü, 1999; Sedat Simavi Edebiyat Ödülü, 1999). Son yıllarda üretiminin ağırlığını roman ve öykü kitapları oluşturmakla birlikte, usta işi, seçkin çeviriler de yayımladı. Yücel, İstanbul'da hayatını kaybetti.

Ustaların Türkçesiyle

GEORGES SIMENON

TAHSİN YÜCEL

Katil

Türkçesi:
Tahsin Yücel

Yayın No **1604**
Çağdaş Dünya Edebiyatı **218**

Katil
Georges Simenon

Kitabın özgün adı: *L'assassin*

Yayına hazırlayan: Cem İleri
Fransızca aslından çeviren: Tahsin Yücel
Redaksiyon: Barış Tut
Kapak tasarımı: Faruk Baydar
Sayfa tasarımı: Zülal Bakacak

1. Basım: Aralık 2016

ISBN: 978 - 605 - 185 - 079 - 5
Sertifika No: 10905

Baskı ve Cilt: Melisa Matbaacılık
Matbaa Sertifika No: 12088
Çiftehavuzlar Yolu Acar Sanayi Sitesi No: 8
Bayrampaşa/İstanbul
Tel: (0212) 674 97 23 Faks: (0212) 674 97 29

EVEREST YAYINLARI
Ticarethane Sokak No: 15 Cağaloğlu/İSTANBUL
Tel: (0212) 513 34 20-21 Faks: (0212) 512 33 76
e-posta: info@everestyayinlari.com
www.everestyayinlari.com
www.twitter.com/everestkitap
www.facebook.com/everestyayinlari
www.instagram.com/everestyayinlari

Everest, Alfa Yayınları'nın tescilli markasıdır.

KENDİ OLMAYA DİRENEN ÖZNE: KATİL

Özgün adı *L'assassin* olan *Katil*, Georges Simenon'un gerilim ve psikolojik derinliği bir arada kullandığı eserlerden. Kahramanımız Kupérus, birçok yönden, Simenon'un bir başka kahramanını, "Ustaların Türkçesiyle Simenon" dizisinin ilk kitabı olan Sait Faik Abasıyanık çevirisi *Yaşamak Hırsı*'nın (Trenlerin Geçişini İzleyen Adam / L'homme qui regardait passer les trains) Popinga'sını hatırlatıyor.

Katil 1937 yılında yayımlanır. *Yaşamak Hırsı* ise 1938'de. Dolayısıyla Simenon'un bu yıllarda, küçük bir çevrede, belirli bir arkadaş grubu içinde ve tekrarlarla süren yaşamlarının bunaltıcılığından kurtulmaya çalışan kahramanları ele aldığını söylemek mümkün. Kupérus'un birçok yönden Popinga'nın hazırlayıcısı hatta Popinga'nın eskizi olduğunu düşünmemiz için sebepler var. Popinga gibi Kupérus da yaşamının tekdüzeliğini fark edip birdenbire başka bir yaşama kucak açar. Ancak Popinga yaşadığı yerden Paris'in güzelliklerine kaçarken Kupérus kendisine birçok defa söylenmesine rağmen bulunduğu yerde kalmakta ısrar eder. Diğer taraftan, ikisi de cinsellikten ve yalnızlıktan korku duymaktadır. Popinga gibi Kupérus da cinayetin ardından büyük

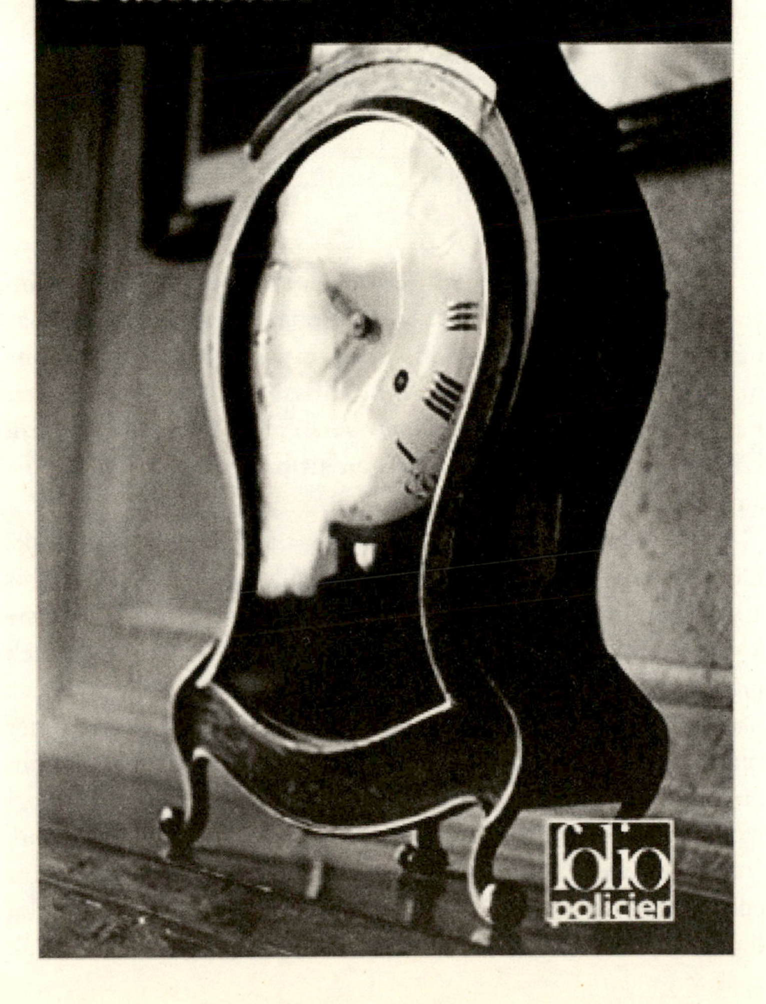
Georges Simenon
L'assassin
folio
policier

bir şehvete kapılır ve arzularını doyurmak için bir kadına ihtiyaç duyar, fakat o da Popinga gibi bir süre sonra yalnız yatamaz hale gelir. İkisi de sıradan yaşamlarını ani bir kararla, olayla değiştirip her ne pahasına olursa olsun istedikleri, arzuladıkları yaşama doğru ilerlemeye çalışan, yaptıklarından pişmanlık duymayan ama bir yandan da zihinlerini hep bu meseleyle meşgul eden tipik Simenon kahramanlarıdır.

Simenon'un karakterlerinin toplumsal rolleriyle sorunları vardır. Bu rolleri belirleyen, onlarla birlikte aynı topluluklarda yer aldıkları diğer bireylerin onlara bakış açılarıdır. Romanlar ilerledikçe bir "olay" yaşanır ve kahramanlar kendilerini başkalarının gözünden görmeye başlar. İlk gördükleri, başkalarının suçlayıcı tavırlarıdır. Fakat daha sonra, bu durumu eski hayatlarıyla karşılaştırdıkları bir aşamaya gelirler. Kupérus için de bu ikinci bakış önemlidir. Hayatının cinayetten önceki normal dönemini düşündüğünde, önce bir tiksinme daha sonra da büyük bir özlem duyar. Suçlanmak, bakış açısının kaydırılmasına neden olacaktır. Simenon'da bu durum sürekli karşımıza çıkan bir eşiktir. Kahramanlar, hayatlarının süregiden akışının bozulmasıyla birlikte bir eşikle karşılaşır, bozulan düzenin eski halini düşünmeye başladıklarındaysa bu kez yeni bir eşikle karşılaşırlar. İlki kahramanın güçlü, cesur ve umarsız olmasına sebep olurken ikincisi endişeli ve kaygılı olmasına sebep olur.

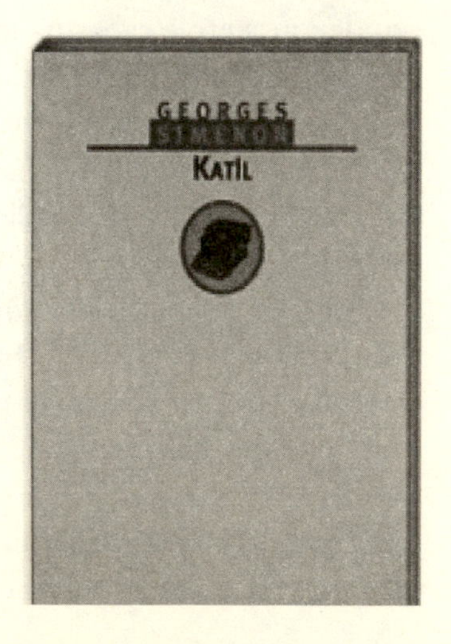

Böylece Simenon anlatısını ikili bir yapıya yerleştirerek birbiriyle bağlantılı iki sahne

yaratır. Söz konusu eşikler bir tiyatro sahnesini andırır, özellikle ikinci eşikle birlikte kahramanın iç sesi giderek bütün anlatıya hâkim olur. Kahraman, tiratlar savuran bir oyuncuya dönüşür. Bu noktadan itibaren sıradan olan her şey altüst olur ve yeniden şekillenir. İlk eşikte toplumun sıradanlığını fark eden ve kendini yeniden inşa etme çabasına girişen biri varken ikinci eşikte kendi farklılığının sonuçlarına katlanmak zorunda kalmanın trajedisini yaşayarak, kurduğu benliği yıkıma sürekleyen biri vardır. Roman asla kesin bir sonla noktalanmaz. Anlatı ucu açık bir şekilde tamamlanır. Kahraman delirmiş midir, her şey yoluna girmiş midir, bilemeyiz.

Kupérus yaşadıklarıyla gördükleri arasına bir sınır çizer. Kendisine dışarıdan bakmayı başarabildiğinde oldukça sıradan ve kimseyi yadırgatmayacak bir şekilde devam ettirdiği yaşamının, en ufak bir kurala karşı çıktığında nelerle karşı karşıya kaldığını görür. Kendisini bir özne olarak kurmaya çalışırken toplumsal olanı bir türlü arkada bırakamaz, ancak bundan korkar da. Öznenin inşa edilmesi, bu çelişkili durumdan korkan erkeğin, kendisine aşkla

bağlı olmayan bir kadını yanında tutmasıyla mümkün olacaktır. Şüphesiz bu kadın, birçok yönden anneyi çağrıştırır. Anne rolünün evin içindeki bir başka kadına yüklenmesi, buna rağmen baba figürünün görünmezliği, toplumsal gerçekliği unutmayan bireyin uyumsuzluğunu da beraberinde getirecek, anneden ayrılamayan birey kendini bir özne olarak var edemeyecektir. Simenon'un pek çok kahramanının anne ve babasının olmaması ve bu ilişki eksikliğini eşlerine ya da başkalarına aktarmaya çalışması ayrıca üzerinde durulması gereken bir konudur. Kupérus da bu davranış ve ilişki geliştirme şeklini en iyi yansıtan tiplerden biridir.

Katil, Türkçeye 1997 yılında Tahsin Yücel tarafından kazandırılır. Tahsin Yücel, bu kitapta da yer alan önsözünde, Kupérus'un "birdenbire sıra dışı bir olayla yaşamları altüst olarak bir başka gerçeklik düzlemine geçen, dünyayı, insanları ve olayları başka türlü görmeye başlayan ve, kaçınılmaz bir biçimde, yavaş yavaş her şeyden kopan sıradan kişiler"in bir örneği olduğundan söz

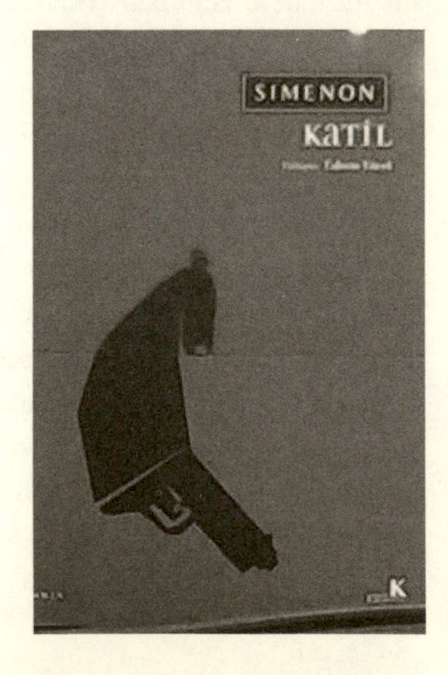

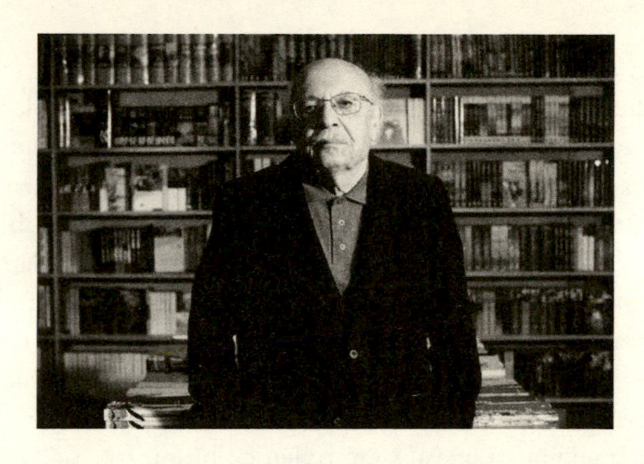

eder. Gündelik yaşamın rutinlerini yerine getirme trajedisiyle baş etmeye çalışan bireyin kendiyle savaşını, direnme şekillerini tartışan *Katil*'deki öznenin şekillendirilmesi, bireyin topluma yabancılaşması ve kendini bir özne olarak var edebilmesi, bir topluluğun bakış açısının birdenbire değişivermesi, değer yargılarının yüzeyselliğinin görünüvermesi izlekleri, Tahsin Yücel'in eserlerinde de sık sık karşımıza çıkar. Yücel, özellikle *Mutfak Çıkmazı, Peygamberin Son Beş Günü, Bıyık Söylencesi* ve *Vatandaş* gibi romanlarında bu izlekleri son derece çarpıcı bir biçimde işlemiştir. Hem de Simenon'da övdüğü ve kendisine yakın hissettiği bir biçemle: uzun çözümlemelere, uzun ve dolambaçlı tümcelere gereksinim duymaksızın, çarpıcı bir ayrıntıyla zenginleştirilmiş kısa tümcelerle.

Son olarak, Simenon ile Tahsin Yücel'i birleştiren son bir noktaya değinmek isterim. Tahsin Yücel, Simenon'un "başdöndürücü verimliliği"nden bahsederken haksız değildi. Fakat kurmaca eserleri, kuramsal çalışmaları, denemeleri ve sayısını bugün bile tam olarak bilemediğimiz çevirilerini düşündüğümüzde, aynı olağanüstü üretkenliğe, verimliliğe Tahsin Yücel'in de fazlasıyla sahip olduğunun altını çizmek gerekir.

Seval Şahin

ÖNSÖZ

Haklı olan André Gide...

Romanlarındaki gibi puslu ve yağmurlu bir akşam, Georges Simenon gözlerini eşine dikerek derin derin içini çeker, "İçim sıkılıyor bu akşam" diye yakınır. "Kalk, bir sinemaya git" der karısı. O gene içini çeker, "Peki, ondan sonra?" diye sorar. "Ondan sonra da otur, bir roman yaz!" yanıtını alır. Ama o gene aynı soruyu yineler: "Peki, ondan sonra?"

Böyle bir öykü başka hangi romancı için anlatılırsa anlatılsın, fazlasıyla soğuk kaçar: bir geceye, bir geceye bile değil, bir gecenin bir bölümüne, koca bir roman sığdırma düşüncesi fazla abartılıdır, dinleyeni güldürmez. Ama söz konusu Georges Simenon olunca, olmayacak abartı sıradan abartı boyutuna iner, bunun sonucu olarak da güldürür. Ne de olsa yılda yirmi roman yayımlamış, üstelik, bu başdöndürücü verimliliği uzun zaman sürdürerek yirmi yılda dört yüzden fazla roman vermiş bir yazardır karşımızdaki.

Bu olağanüstü üretkenlik pek çok eleştirmenin Simenon'un yapıtlarını yazınsal değerden yoksun olarak nitelemelerine yol açar. Doğrusunu söylemek gerekirse, böyle bir hız yazarın izlen-

mesini, dolayısıyla sağlıklı bir yargıya varılmasını zorlaştırır. Buna karşılık, dönemin büyük romancı ve düşünürü André Gide ve Anaïs Nin onun yirminci yüzyılın en önemli yazarlarından biri olduğunu kesinler. Okur da Simenon'a büyük ilgi gösterir: hemen her romanı kapışılır, birçok dillere çevrilir, çokları da sinemaya aktarılır.

Georges Simenon bu başarıya çok da çabuk ulaşmıştır. 1922 yılında, ülkesi Belçika'dan Paris'e gelip bir süre gazetecilik yaptıktan ve değişik takma adlar altında birtakım serüven romanları yayımladıktan sonra, 1930'da, yani daha yirmi yedi yaşında, başarı eşiğini aşar: *Pietr-le-Letton* adlı yapıtıyla hem dünya polis yazınının en ünlü ve en ilginç kahramanlarından birini, Komiser Maigret'yi ilk kez karşımıza çıkarır, hem de bu türü derinlemesine yenileyerek gerçekten yazınsal bir türe dönüştürür. Yalnızca bir karmaşık olaylar ve çok-bilinmeyenli veriler arasından suçluya ulaşmak söz konusu değildir artık. Bildiğimiz polis romanlarının fazlasıyla yüzeysel ruhbilimi de yerini derin ve özgün bir ruhbilime bırakmıştır. Kendini hep kovuşturduğu kişilerin yerine koyarak onlarla nesneler arasındaki derin bağıntıları kavramaya çalışan Komiser Maigret, bu özgün ruhbilimin ilginç bir örneğidir. Birdenbire sıradışı bir olayla yaşamları altüst olarak bir başka gerçeklik düzlemine geçen, dünyayı, insanları ve olayları başka türlü görmeye başlayan ve, kaçınılmaz bir biçimde, yavaş yavaş her şeyden kopan sıradan kişileri de bir başka örneği. Ayrıca, Simenon puslu ve yağmurlu Kuzey Avrupa iklimlerini, küçük kentlerin bir gönenç ve dinginlik görüntüsü altında yalnız adamın gırtlağına yapışan boğucu havasını benzerine az rastlanır bir ustalıkla yansıtır. Böylece, bildiğimiz polis romanı düzeyini fazlasıyla aşar. 1933'te yayımlanan *Les Fiançailles de Monsieur Hire*'le de artık Komiser Maigret'ye fazla gereksinimi olmadığını

gösterir. Kısacası, bu kısa romanların çoğunu "polis romanı" olarak niteleyip geçmek yazara haksızlık olur.

Katil de bu gözlemi doğrulayan iyi örneklerden biridir. Bize, bir çifte cinayet çevresinde, yalnızca bu cinayeti işleyen seçkin kişinin kaçınılmaz çöküşünü değil, koca bir kasabanın insanlarının bakış açılarının değişmesini, değer yargılarının ve dostluklarının yüzeyselliğinin ortaya çıkışını birbirinden çarpıcı ayrıntılarla gösterir. Dr. Kupérus karısını ve oturduğu kasabanın en saygın kişisi olan sevgilisini öldürdükten sonra, dişe dokunur hiçbir iz bırakmaz cinayetinden, başlangıçta hemen hiç kimse de kendisinden kuşkulanmaz, kendisini suçlamaya kalkmaz, ama, daha ilk akşamdan başlayarak öyle şeyler yapar ki yavaş yavaş herkesi uzaklaştırır kendinden, suçluluğuna herkesi inandırır, yapayalnız bir yarı deli adam olup çıkar. Tüm bunlar da bize neredeyse doğrudan doğruya, onun edimlerinden, sözlerinden, düşüncelerinden, isteklerinden, korkularından, kuşkularından yansır. Simenon'un uzun çözümlemelere, uzun ve dolambaçlı tümcelere gereksinimi yoktur; tam tersine, okuru sıkmaktan korkarmış ya da acelesi varmış gibi, kısa tümcelerle, bir çırpıda söyleyiverir söyleyeceğini. Ama, neredeyse her tümcesi küçük olduğu kadar da çarpıcı bir ayrıntıyla karşı karşıya getirir bizi. Ayrıntılar birbirine eklendikçe de iklim belirginleşir, kişiler somutlaşır, ortamları bizim ortamımız, bunalımları bizim bunalımlarımız olur.

Elimizde olmadan, "Haklı olan André Gide" diye düşünürüz.

Tahsin Yücel

Katil

I

Her günkü yaşamla, alışılmış olay ve davranışlarla en tuhaf serüven arasındaki karışım öylesine içtendi ki, Doktor Kupérus, Sneek'te (Hollanda Friesland'ında) oturan Doktor Hans Kupérus, neredeyse şehvetli bir kızışma, örneğin kafein etkisini andıran bir kızışma duyuyordu içinde.

Her ayın ilk salısında olduğu gibi, gene Amsterdam'daydı. Ocak ayıydı; kürk yakalı paltosunu giymiş, kar yağdığı için de kunduralarının üstüne lastiklerini geçirmişti.

Bu ayrıntıların hiç önemi yok, ama her şeyin, tüm ayların ilk salılarında nasılsa bu salıda da gene öyle olduğunu belirtmek için söylüyoruz. Şu küçücük olaya varıncaya dek aynı: kırmızı tuğlalı güzel gardan çıkınca, karşıda bir kadeh ardıç rakısı içmeye gitmişti, kimselere söylemezdi bunu, sabahın onunda bir *vergunning*'e* gidip alkol içmek yakışık alacak şey değildi de ondan.

Bütün gece kar yağmıştı, hâlâ da yağıyordu, ama havada bir sevinç vardı. Karlar usul usul, seyrek seyrek düşüyordu, hiçbir

---

* Hollanda'da alkollü içki satma hakkı almış vergunning kahvelerle, yalnız alkolsüz içki satan verlof kahveler vardır. (Yazarın notu).

zaman birbirine dokunmuyorlardı havada, zaman zaman da şimdiden soluk mavi bir renge girmiş gökyüzünde güneş görünüyordu. Ortalık, kar tutmaya başlamıştı. Adamlar karları süpürüp yığıyorlardı. Kanalların üzerinde, kıyıya yakın yerlerde buz parçacıkları oluşmaktaydı; buzdan iğneler vapurların teknelerini çevreleyip süslüyordu.

Serüven ikinci bol kadehiyle başladı. Kupérus bolün tadını sevmezdi, gitsin diye biraz bitter koydurttu kadehin içine. Sonra hesabı ödedi, ağzını kuruladı, yakasını kaldırdı, çantasını koltuğunun altına aldı, ellerini cebine sokup çıktı.

Normal olarak, tramvaya binmesi, şu kibar Botanik Bahçesi semtindeki baldızına gitmesi gerekirdi. Yemeğini burada yemesi, ondan sonra saat ikide de oradan yaklaşık üç yüz metre öteye, Biyoloji Birliği'ne bağlı doktorların her ayın ilk salısında toplantı yaptıkları, parlak tuğlalı, yeni yapının yolunu tutması gerekirdi.

Ama ne o şişman baldızı Bayan Kramm'ın evine gitti, ne birliğe; gitmeyince de kendisini toprağa bağlayan tel ilk kez kesilivermiş gibi alabildiğine hafifledi.

Tiyatroların bulunduğu semte giden büyük sokağa saptı, tüm silahçı vitrinlerinin önünde durdu. Karşısına çıkan ilk dükkâna girebilirdi. Dördünü, beşini görmeyi daha uygun buldu, bir yandan silahları gözden geçirirken bir yandan da camda kendine bakıyordu.

Taşralıydı, biliyordu, hele şapkasını çıkarınca büsbütün taşralı oluveriyordu, çünkü kızıla kaçan sarı saçlarını hiçbir zaman yatıramamıştı. İri ve geniş yapılıydı; uzaktan bakanlar:

— Dağ gibi bir adam! derdi onun için.

Ama o kendini tanırdı, tanımaya çalışırdı, her zaman yumuşak bulmuştu kendini. Örneğin yüzü! Bu çok kalın gözkapakları, bu dışarı doğru çıkan gözler... Ağzın kıvrımı, hafiften yana kaymış burun...

Yorgundu. Hastalarını çok etkileyen sözcüğü kullanmak gerekirse, "bitkin"di. Fosfat yitirdiğini biliyordu, az sonra, biraz fazla yürüyünce de göğsünde bir sıkıntı duyacaktı kuşkusuz.

Ama bundan böyle önemi yoktu! Hızlandı, üç silahçı vitrininin önünde daha durdu, birden dükkânlardan birine giriverdi, küçücük bir dükkândı, tezgâhın ardında bere takmış, yaşlı bir adamcağız vardı.

— Otomatik tabancalarınız var mı? diye sordu.

Budalalıktan başka bir şey değildi bunu sormak! Sergi, otomatik tabancayla doluydu.

Saygıyla dokundu silaha, hafiften titredi, kendi üzerlerinde kullanılacak, yaralarını açacak ya da midelerini sondalayacak parlak aygıta dokunan hastalar gibi.

Doldurttu, cebine koydu, saate baktı, şu dakikada *normal olarak* baldızının, Bayan Kramm'ın evinde bulunması, çay içip peynirli sandviçler yemesi gerektiğini düşündü.

Böyle bir şey yapmak istemediği, tren de üçte kalkacağı için, tutumlu olayım diye hiç gitmediği, iyi bir lokantaya girdi, tam bir yemek ısmarladı, çerezi, şarabı, tatlısı, her şeyi tamamdı. Bir masada yalnızdı. Sıcaklanıyordu. Tabancanın, askıda asılı duran paltosunun cebinin biçimini bozduğunu düşünüyordu.

İçinden güldü.

En sonunda bir sinemaya girdi, bir filmin başını izledi, sonunu hiçbir zaman öğrenemeyecekti.

Alışkanlıkla serüven arasındaki karışım saat üçten sonra daha içten oldu, çünkü Kupérus o zaman, ertesi gün yapacağı şeyleri yaptı, bir gün farkla yani.

Başka seferlerde, salı günü gelir, öğleden sonra birliğin oturumunda bulunur, akşamı da, geceyi de baldızının evinde geçirirdi. Ertesi gün, karısının üzerine yüklemeyi hiç eksik etmediği kimi işlerle uğraşır, saat üçe gelince de Enkhuizen trenine binerdi.

Bir günlük bir fark! Her şeyi değiştiriyordu gene de! Salı günü Enkhuizen'de bir pazar vardı kuşkusuz, çünkü tren tanımadığı insanlarla, çarşamba yoldaşlarından ayrı bir sınıftan insanlarla doluydu. Kimileri kürklü başlıklar giymişti, kendisi de Sneek'te böyle yapardı, ama Amsterdam'da yapamazdı bunu.

Bu bilinmedik adamlar ona selam verdiler, çünkü bir kompartımana girildi mi selam verilirdi. Sonra işlerinden konuşmaya başladılar, Danimarka domuzları ile Letonya domuzları söz konusuydu.

Bir ayrıntı daha işte, önemsiz bir ayrıntı olduğu kuşku götürmez, gene de bir ayrıntı: çarşamba günü, birinci mevki kompartımanında Stavoren, Leeuwarden ve Sneek Belediye Başkanları bulunurdu, çünkü her ayın ilk çarşambasında, Amsterdam'da Belediye Başkanları Konferansı vardı.

Enkhuizen'e kadar iki saat yol. Cebindeki tabancayı bir kez yokladı, neredeyse gülümseyecekti.

Çarşambaların farkı gittikçe daha çok duyuluyordu. *Princesse-Héléna* her zamanki gibi rıhtımda bekliyordu. Ak bir vapurdu bu, bir yıldır çalışmaktaydı. Kupérus, kaptanı, süvarileri, kamarotları, kısacası herkesi tanırdı, ama yolcuların hiçbirini tanımadı.

Çantası hep koltuğunun altındaydı, büyük salona indi, dipte, hep aynı masada, üç belediye başkanını bulması gerekirdi, briç oynamak için iki deste kâğıtla büyük Amstel biraları getirirlerdi.

Çünkü Enkhuizen'den Stavoren'e dek Zuyderzée yolu bir buçuk saat sürer, biri çıkıp blöf yapmayacak olursa, üç "rob" yapmaya yetecek bir zaman. (Leeuwarden Belediye Başkanı ipin ucunu kaçırdığını sezer sezmez blöf yapardı her zaman!)

Birayı getirdiler, kâğıtları getirmediler. Garson:

— Bir gün erkencisiniz! diye belirtti.

— Bir yıl geç kaldım! dedi o da, keyiflendi.

Vapurda bile, salı yolcuları çarşamba yolcuları gibi değildi. Hiç tanımadığı kimselerdi, hepsi de Leeuwarden'e gidiyordu, ya bir pazar ya da bir kongre vardı kuşkusuz.

Gece olmuştu. Zuyderzée sakindi. Pervane kendiliğinden dönüyordu. Bir İngiliz, memleketinin kalın bir gazetesini okuyordu.

Bir yıl geç! Böyle işte! Kupérus, bu düşünceyi hazla yineliyordu kafasının içinde.

* * *

Bir yıl iki günlük bir farkla (öylesine soğuk bir cumaydı ki okulları tatil etmişlerdi), belki de bilinçli olarak kötü bir yazıyla yazılmış olan şu pusulayı almıştı:

"Pek sayın doktor,

Sizin gibi bir adamın habersizce gülünç edildiğini görmek zor geliyor insana. Size saygı duyan biri, Bayan Kupérus'ün her yolculuğunuzda sizi aldattığını bildirir. Dostlarınızdan biriyle, M. de Schutter'le, Göller bungalovunda buluşuyor; geceyi orada geçirdiği de oluyor."

Kendisini tanıyan biri, evet! Ama çok da iyi tanımayan biri! Çünkü Schutter dostu değildi!

Başkalarına göre belki, gerçekteyse, hayır! Değil! M. de Schutter, zengin olduğu için davalara bakma çabasına girmeyen bu avukat, Kupérus gibi Bilardo Kulübü'ndendi. Hatta başkandı, oysa Kupérus, son toplantıda ancak yardımcılığa getirilmişti...

Schutter soyluydu, Schutter kontuydu, unvanına aldırmazmış, kullanıldığı zaman kızarmış gibi görünürdü, bu da kendine pay çıkarmanın bir başka yoluydu.

Kupérus'le aynı yaşta, yani kırk beş yaşındaydı, ama, saçlarına kır düşmüş olmasına karşın, otuz beşinde gösterirdi, çünkü inceydi, üstelik Amsterdam'da bir İngiliz terziden giyinirdi.

Schutter, Fransızca, İngilizce, Almanca konuşurdu, evinin duvarlarını dolduran büyütülmüş fotoğrafların da gösterdiği gibi, tüm dünyayı dolaşmıştı.

Ne evdi o! Sneek'in en güzel evi! Belediye Sarayı'nın yanında. Bu yapıdan daha güzel olduğu söylenebilirdi, aynı zamanda yapılmışlardı, kara tuğlaları, pencerelerinde pembe camları, içinde gerçek Delft şömineleri vardı!

Schutter Bucak Kurulu üyesiydi. Bucak müdürlüğüne de seçilebilirdi, geri çevirme hazzını bir kez daha tatmak için, her seçimde bu makama kendisini önertirdi.

Schutter'in göllerde bir teknesi de vardı, ama altı metrelik, dokuz metrelik bir şey değil öyle, "Fialke" filan değil: bütün yarışları kazandığı için yarışma dışında bırakılan, gerçek bir deniz yatı. *Southern Cross* koymuştu yatının adını.

Schutter'in incecik dudakları vardı, üstün bir gülümseme sağlarlardı ona, hem ayrı, hem de hoşgörülü bir gülümseme, Bilardo Kulübü üyelerinden kimilerinin de söylediği gibi, "Voltaire'imsi" bir gülümseme.

Schutter her yıl Côte d'Azur'e, dağlara giderdi...

Schutter...

Her şeyden önce, Sneek'te kötü bir ün taşımasına izin verilen tek erkekti o. Böyle biri gerekirdi; bu da oydu işte!

— Bütün kadınlar avcunun içinde!.. dedirten bir adam.

Bütün kadınlar! Evli kadınlar da vardı işin içinde! Bir başkası olsa iyi gözle bakmazlardı; tehlikeli sayılır, kulüpten kovulurdu.

Schutter, kendisine hiçbir şeyin yasak edilmediği bir büyük yosmaydı. *Kendini aday bile göstermeden,* üstelik oybirliğiyle,

Bilardo Kulübü başkanlığına getirilmişti, oysa Kupérus'ün bu makamı yıllardan beri arzuladığını herkes biliyordu.

M. de Schutter böyleydi işte!

Bayan Kupérus, Alice Kupérus, otuz beş yaşında bir kadındı, tombulcaydı, ama pembe, yumuşaktı, tatlı bir gülümsemesi, aydınlık gözleri vardı, iyi bir kadındı, zararsız, sıradan bir kadındı.

Kupérus hiçbir şeyi esirgemezdi ondan. Spor giysilerini belediye başkanının karısının terzisine yaptırtırdı. İki yıldır, Sneek'in en iyi astragan kürkü ondaydı. Daha bir yıl önce, çaylarını modern bir dekor içinde verebilsin diye salonunun mobilyası değiştirilmişti, Kupérus kokteyller için de portatif bir barın parasını ödemişti.

* * *

Vapur uğulduyordu. Zaman zaman, sereçkenin vuruşuyla yarılan bir buz parçasının gürültüsü, tekne boyunca kayışı duyuluyordu.

Kupérus'ü tanıyan garson, birasını yenileyeceği dakikayı bekliyordu.

— Bir konyak!

Bu bile büyük bir aykırılık sayılırdı. Vapurda hiç konyak içmemişti, oysa çok tanınırdı. Ama durup dururken gülümsüyor, tabancayı düşünüyordu.

Alice Kupérus, şey...

İnanmıştı buna. Gidip iyice anlamadan önce iki ay beklemişti, çünkü onu toplantıda görmeyince şaşıracaklardı, hem de işler karışıktı...

Öyle çok dümen çevirmek gerekmişti ki! Trene biniyormuş gibi davranmak! Geceye dek bir yerde saklanmak! Sneek'te herkes tanırdı Doktor Kupérus'ü! Sonra da evine dönmek için ertesi günü beklemek!

Bunu yapmıştı! Karların, buzların eridiği sıralarda, dadısının yanında, Hindeloopen'de yatmıştı, ona gelişigüzel bir masal uydurmuştu, hâlâ cici giysiler giyen kadıncağızın bunu yutmadığı da kuşku götürmezdi.

Her neyse, doğruydu işte: ikisini de görmüştü, Schutter'le Bayan Kupérus'ün, kanalın kıyısında, gölün ve *Southern Cross*'un hemen yanındaki bir tür bungalova girdiklerini görmüştü.

Yapı ahşaptı. Çevrede, ufak bir yol bir yana bırakılırsa, sudan, gölün, burada başlayan bütün göllerin suyundan başka hiçbir şey yoktu.

Kente uzaklığı da bir buçuk kilometreydi!

— Bagajınız yok mu?

Kamarota bakarken güleceği tuttu.

— Evet! Pek önemli değil, korkunç bir bagaj, paltomun cebinde... deyiverecekti neredeyse...

Lumbozlardan, Stavoren Limanı'nın kırmızı-yeşil ışıkları görünmeye başlamıştı.

Kararını tam bir yılda vermişti! On beş gün önce Schutter Bilardo Kulübü'nün başkanlığına seçilmeseydi, belki de hiçbir zaman vermeyecekti kararını...

Çünkü, Kupérus adaylığını koymuştu! Oylarını gizli tutmaya bile gerek görmeden dışlamışlardı onu!

Bir yıldır gücünü toplamaya, eyleme geçmek için karar vermeye çalışıyordu...

Olmuştu işte. Çarşamba vapurunda bulunacağı yerde salı vapurunda bulunuşu da bunun kanıtıydı.

— Al, Peter!..

Neredeyse on florin bırakacaktı kamarota. Ama bunun söylentilere yol açacağını düşündü. Bir florin verdi yalnız, bu da her zamanki bahşişin on katıydı.

* * *

Gerisini, Stavoren'den Sneek'e kadar olan yolu, daha da iyi hesaplamıştı. İki birinci mevki kompartımanı. Birinde her zaman tek başına kendi otururdu. Onu tanırlardı. Bu yer ona ayrılmış gibi bir şeydi.

Vapurdan inince, rayların üzerinden geçti, birinci mevki kompartımana, sigara içilen yana bindi, çünkü pipo içerdi.

— İyi akşamlar, Bay Kupérus...

Memur bir yanlışlık yapmış, salıyı çarşamba sanmış olmalıydı, yıllardan beri gidiş gelişleri öylesine düzenliydi.

Şimdi duruşları, sesleri işitmekten başka bir şey kalmıyordu geriye.

— Hindeloopen!

Sonra:

— Workum!..

Adam:

— *Woorekum!* diye söylüyordu...

En sonunda Sneek, Sneek'in temiz, sessiz, insana kucak açan garı. Garda önce Büyük Alan'a yönelirdi. Bu saatte ortalık kapkaraydı, *Under den Linden* kahvesinin camları dışında.

Bilardo Kulübü'nün merkezi! Dönüşte oraya uğrardı. Son bir bardak bira içerdi.

— Amsterdam'da ne var ne yok? diye sorarlardı.

O da *Telegraaf*'ın son sayısında okuduğu haberleri anlatırdı...

Her şeyi bir rastlantı değiştirdi. Hindeloopen'den, Workum'dan gene alışılmış biçimde geçildi. Ama Sneek'e gelmeden birkaç dakika önce, beklenmedik bir şey, treni yavaşlatmak, hatta durmak zorunda bıraktı.

Camlarda o kadar buz vardı ki, Kupérus dışarıyı göremedi. Kapıyı açtı, bir peynir fabrikasının bacasını, yarı yarıya donmuş bir kanalın ağını gördü, bulunduğu yeri anladı.

Schutter'in bungalovu aşağı yukarı beş yüz metre uzaktaydı.

Hiç düşünmedi. Çantasını aldı, en karışık durumlarda bile girişmezlik edemeyeceği, makinemsi bir davranıştı bu. İndi, yolun kıyısından döndü, tren yürüdüğü sırada aşağıya vardı.

Bundan sonra, olanlardan söz etmek neredeyse olanaksız. Doktor Kupérus işi bitirmeye karar vermişti. Bitirmişti desek de olur. Üçü için de bitmişti iş, Schutter'in de (Cornélius soyadını taşıyan), Alice'in de (Kupérus soyadını taşıyan), Hans Kupérus'ün, kendisinin de işi bitmişti.

Tabanca da bunun kanıtıydı, cebinde soğuktu, buz gibiydi. Şöyle bir esmiş bir düşünce söz konusu değildi. Tam bir yıl düşünmüştü. Ne yaptığını biliyordu.

Çevresinde kar, kanalların oluşturduğu gölgeler, çoğu bozuk kanalların... Karanlığın ortasında bir ışık, tek bir ışık, Schutter'in bungalovunun ışığı.

Demek oradaydı. Yani her şey önceden bitmişti!

Tren gökyüzüne kırmızı kırmızı tükürüp silindikten sonra, o da yürüdü. Eve yaklaştı, Amsterdam'dakinden çok daha kalın, sertleşmiş karı çıtırdatmamak için daha dikkatli yürüdü.

Çok soğuktu; bir ara, tetiğin yeterince yumuşak olup olmadığını düşündü.

Kent uzaktaydı: ışıkları sarımtırak bir ayla oluşturuyordu havada.

Schutter bütün kadınları elde etmekle övünürdü! Alice bunlardan biriydi! Alice de bungalova geliyordu, ötekiler gibi!

Buna inanmak da pek güç olmadı. Panjurları kapatma çabasına bile girişmemişlerdi, öylesine güveniyorlardı ıssızlığa.

Kupérus çıt çıkarmadan yaklaştı, yüzünü cama yaklaştırdı; karısını gördü, kombinezonlaydı, bir şey içiyordu, Schutter de kravatını bağlamaktaydı.

Güzel bir odaydı. Yatak odası değildi, bir tür çalışma odasıydı, duvarlarda, Schutter'in dünyanın her ülkesinde, her tür giysiyle çekilmiş resimleri. Bir masanın üzerinde de içki dolu kadehler.

Alice, şimdiye dek hep bu odada giyinmişçesine giyiniyordu! Konuşuyordu! Kupérus söylenenleri duymuyordu! Yalnız onları görüyordu. Adam, doğrudan doğruya Mısır'dan getirtmekle övündüğü, Hollanda sigaralarından daha iyi olmayan şu ünlü sigaralarından birini içiyordu gene!

Kolunun altındaki çanta Kupérus'ü rahatsız ediyordu, ama bırakmadı. Bırakmaması gerektiğini seziyordu. Kendi kendisi kalmalıydı, kesinlikle.

Ne söylüyorlardı böyle? Yalnızca konuşuyorlardı, hoppalığa kaçmadan, yaşlı sevgililer gibi. Alice, alışkın olduğu bir aynanın önünde, yüzüne biraz pudra sürüyordu.

Alice, dostuna bir serzenişte bulunmuş olmalıydı, belki de bir kıskançlık söz konusuydu, çünkü yüzünde bir ekşilik, adamın yüzünde de tatsız bir gülümseme belirdi.

İncisini kravatına soktu. Kravatına bir inci sokmayıverse onura elden giderdi sanki.

Bilardo Kulübü'nde:

— Bir mihracenin armağanı, derdi.

Hızlandılar. Alice gitmek istiyor olmalıydı. İkisi de kapıya yöneldiler. Kupérus üşüyordu. Sağ elinin eldivenini çıkarmıştı, bu el de donmuştu.

* * *

Karanlık. Bütün lambalar sönmüş. Schutter'in, arkadaşını beklerken, bir küçük burjuva gibi dikkatle kapadığı kapı...

Belki de tam sırası?..

Parmağı tetikteydi, ama ateş etmedi.

Yürüdüler, kamışlarla kaplı, uzun zamandır vapur işlemeyen bir kanala gittiği için kullanılmayan bir yola saptılar.

Kol kola, omuz omuza gidiyorlardı... Gökte ay ışıldıyordu.

Kupérus arkadan yürüyor, yaklaşıyordu...

Hâlâ ateş etmiyordu. Soğuk, işaretparmağını çeliğe yapıştırıyordu. Çoktandır düşünüyor muydu bunu, her şeyi hesaplamış mıydı acaba?

Bungalova girişini hazırlamıştı kafasında, uzun bir söylev...

İki gölge kımıldıyordu önünde... On metreydi araları... Devinimi değiştiren Alice oldu, durdu, kaygıyla döndü. Ona güven vermek için öteki de döndü.

Kupérus o zaman ateş etti... Bir kez... Bir kez daha... Bir kez daha, Schutter tam olarak devrilmiyor, dizlerinin üstünde duruyordu da...

Belki de acı çektiğini düşündü, iş iyice bitsin diye bütün şarjörü boşalttı.

Yüreği çarpıyordu, göğsünde o çok korktuğu sıkıntı vardı, yanlarında, eli sol göğsünün üstünde dakikalarca durmak zorunda kaldı.

Kendini de öldürmesi için şarjörü doldurması gerekirdi.

* * *

Sonra?..

Her şeyin üstünde bir düşünce vardı: Schutter ölmüştü!

Bir başka düşünce daha kaymıştı bunun altına: Schutter öldükten sonra kendisinin de yok olması gerekir miydi?

İki cesedin de kanalın sazlarına uzaklığı bir metreden fazla değildi. Ay doğmuştu, dinginlik içinde; ay yalnız buz gibi kış gecelerinde böyle olurdu.

Kupérus birkaç kez derin derin soluk aldı, tabancasını suya attı, sonra pişman oldu, fazla yakına atmıştı.

Allah kahretsin!

Saatine baktı. Şeye zaman vardı...

İki cesedi itmek yeterdi. Alice artık soluk almıyordu. Gözlerini kapamış gibiydi ya da öyle gösteriyordu.

İşe girişti, sıkıntısından kurtulmak için kulübü düşünerek alay etti... Schutter'i suya atmadan önce, cebinden cüzdanını aldı.

Sarhoştu, bütün içtikleriyle, bütün yaptıklarıyla sarhoştu. Ama sarhoşluk, onu heyecanlandıracak yerde, umulmadık bir dinginlik veriyordu.

Örneğin, yolda giderken cüzdanı, başka bir kanala attı, birincisinden de eski, hiç mi hiç kullanılmaz olmuş bir kanala. İçine bir taş sıkıştırmayı da unutmadı.

Yalnız bir şey düşünüyordu: *Under den Linden* kahvesine varmak. Daha dört beş kişi bilardo oynuyor olmalıydı. İçerdi. Susamıştı. Şampanya kadehi biçiminde, kocaman bir bira bardağı getiriyordu gözlerinin önüne.

Kenar mahalleden geçti, gelecek için bir şey kurmuyordu, yarın için de.

Tren biletini düşündü, Sneek istasyonuna bırakmamıştı. Daha önce de olmuştu bu. Bu trenden kimlerin indiğini öylesine iyi biliyorlardı ki, kimi zaman memur yerinde bulunmuyordu ya da Kupérus yolunu kısaltmak için lokantadan çıkıyordu.

Bileti çiğneyip yuttu!

İyice sarhoştu. Yerlerde yuvarlanabilirdi! Ya da sevinçten haykırabilirdi! Ya da hıçkırırdı!

Ona gerçeği anımsatan, Schutter'in eviyle, ötede *Under den Linden*'in solgun ışıklarıyla Belediye Alanı oldu.

Saate baktı. Doğrudan trenle geldiği saatten fazla fazla çeyrek saat geç kalmıştı.

Bir havagazı fenerinin altında ellerine baktı. Temizdi, kar nedeniyle.

Girdi. Nasıl bir sıcaklık buğusuyla, nasıl bir rahatlıkla karşılanacağını biliyordu.

— İyi akşamlar, doktor bey.

— İyi akşamlar, Jef. Beyler hep buradalar mı?

Bir alışkanlık daha işte! Bilyelerin yuvarlandığını, birbirlerine dokunduğunu duyuyordu, gene de değişmez bir biçimde:

— Beyler buradalar mı? diye soruyordu.

— Amsterdam'da hava iyi mi?

— Bizim burayı tutmaz, diye yanıtlaması gerekirdi.

Öyle yaptı. Bütün alışkanlıklar yerine getirildi, ayaklarının ucuna basa basa odaya girdi; mimar, ceketini çıkarmıştı, bir karambole hazırlanıyordu.

Öteki oyuncularla sessizce el sıkıştı. Karambol başarıyla sonuçlandı.

— Amsterdam'dan ne haber?

— İyi! Oranın kanallarında buz bile yok...

Bilardonun yanına yerleşmiş iki hakeme baktı.

— Parti şampiyonlukta da geçerli mi?

— Elbette!

— Ben de yazılmalıyım, dedi.

Yarışmaya katılmamıştı hiç. Havadan bir sözdü bu. Canı bir şeyler söylemek istiyordu.

— Gelecek sefere, ciddi olarak başkanlık isteyeceğim, diye eklemek gereksinimini duydu.

Tablo orada duruyordu, koyu meşeden bir sütuna asılmıştı, Schutter'in adı kırmızıyla, ötekilerinki karayla yazılmıştı üzerine. Mobilyaları parlak, koltukları derin, rahat kahvede beş kişi kalmışlardı artık, bira bardaklarının köpükleri yuvarlak kartonların üzerine dökülüyordu.

Kendi birasını da getirmişlerdi, az önce düşündüğü gibi yuvarlak bir kupa. Bir çırpıda içiverdi:

— Bir daha... diye mırıldandı.

— Yeni bir şey yok mu? diye söylendi makine gibi.

— Hiç...

Çantasını masanın üzerine bırakmıştı. Her zaman, komşu sokakta, eski kanalın yanında bulunan evine dönmeden önce çeyrek saat kalırdı.

Yandaki sinemanın müziği duyuluyordu belli belirsiz. Bu konuda bir dilekçe hazırlamışlardı, bazı oyuncuları rahatsız ediyordu da.

Birden, Kupérus sessizce güldü. Günlerden Çarşamba değil de Salı olduğunu hiç kimsenin fark etmediğini düşünüyordu. Çünkü ayın ilk salısında burada olmazdı.

Büyülemişti onları. Onu görmüşler,

— Çarşamba! diye düşünmüşlerdi.

İkinci bir bardak daha içti, bir de ardıç rakısı istedi.

— Sinirlerim iyi değil, diye açıklama yapmak zorunda kaldı.

Acı gerçeği usuna getirmemeliydi. Örneğin, evine döneceğini, ama karısının evde olmayacağını düşünmek daha iyiydi. Neel, hizmetçi açacaktı kapıyı.

Gecelikle! Neredeyse kesindi burası, çünkü, bu saatte, kendisini beklemediği için yatmış olacaktı.

Daha önce de gecelikle görmüştü onu. Ama çıkabilecek karışıklıklar yüzünden hiçbir zaman dokunmamıştı...

Ama şimdi?

Belki de ertesi gün yakalamaya geleceklerdi ya da daha ertesi gün, uzun sözün kısası günün birinde geleceklerdi! Zaman yitirmenin sırası değildi.

— Bu gece, olacak, diye söz verdi kendi kendine.

Öylesine güçlü bir biçimde düşündü ki mırıldanarak düşünmekten korktu.

— Kupérus!.. diye sesleniyorlardı.

Güç bir durumda, görüşünü sormak istemişlerdi. Bilyelerin altında, sıcak küllerle dolu tahta kovalar, ağacın işlemesine engel oluyordu...

— Kees diyor ki, karşısındaki...

Oyunu görmemişti. Önüne getirilen sorunu sağduyusuna ters düşen bir biçimde çözmek zevkinden vazgeçmedi. Kees de Schutter'in dostlarındandı!

— Kees haksız... Sık sık Amsterdam'a giderim, orada böyle bir vuruşun üzerinde tartışmaya bile gerek görmezler!

Kees haksız çıktı. Şampiyonlukta üç sayı yitirdi.

İlk utku!

— İyi geceler... Karım merak eder... diyebildi.

Öylesine dalmışlardı ki, hepsi de günlerden Çarşamba olduğunu, karısının gerçekten onu beklediğini sanmayı sürdürdüler.

Doktor Kupérus, dışarıda, köprüyü geçerken, Neel'den başka bir şey düşünmüyordu. Neel, gecelikle gelip kapıyı açacaktı, gri mantosu omuzlarında olacaktı, ayakları da çıplak olacaktı kuşkusuz!

II

Kupérus'ün vapurda uyandığı olmuştu, Spitzberg'den geçerken, gözlerini açınca çevresinden uzakta olmanın tadını çıkarmış, denizde, Buz Okyanusu'na doğru giden bir vapurda olduğunu düşünerek keyiflenmişti.

Ya şimdiki serüvene ne demeliydi? Saat yediye gelmiş olmalıydı, çünkü ortalık aydınlanıyordu, işçiler kaldırımın karını kazımaya başlamışlardı. Kupérus bütün bütün açmıyordu gözlerini, odanın, kendi odasının bildik griliğini görecek kadar açıyordu.

Yanı başında birinin soluk alışını duyuyordu. Biri uyuyordu, Alice Kupérus değildi bu uyuyan, Neel'di, hizmetçi! Neel'in sıcak bacağıydı bacağına dokunan.

Peki, herkese neydi bundan? Bundan böyle her gün, her gece Neel'i yanında bulundurabilirdi ya da her seferinde başka birini...

Neel'in ne yapacağını düşünüyordu. Geç kalkmak için bundan yararlanacak mıydı? Her zamanki gibi mi davranacaktı?

Soluğunun uyumu değişti; göğüs geçirdi, kolunu uzattı, çarşafların altına daha fazla sokulmak ister gibi bir devinim yaptı, ama hemen sonra bir bacağını dışarıya çıkardı, sonra da ötekini.

Devinimleri, başka sabahlarda, tavan arasında yaptığı devinimler gibi olmalıydı. İyi uyuyamadığı anlaşılıyordu, gözleri donuk, eti gevşekti. Kupérus'e baktı. Kupérus uyur gibi yaptı. Yatağın ucuna oturdu, çoraplarını giymeye başladı, sonra lastik gibi bir kuşak taktı.

Yıkanmadan çıktı en sonunda. Kupérus, mutfakta ateş yaktığını, kahveyi hazırladığını duydu.

Alice Kupérus'e gelince, o ölmüştü, iyiden iyiye! Schutter de ölmüştü!

Neel, bağıntılarını biliyor muydu acaba? Dün gece döndüğü zaman, oyununu böylesine iyi oynayışına kendisi de şaşarak sormuştu:

— Hanım yattı mı?

Öyle ya, karısının yatağında olduğunu sanması gerekirdi.

— Hanım burada değil, diye yanıtlamıştı hizmetçi.

— Nasıl, burada değil mi?..

— Leeuwarden'den bir tel aldı sanırım... Teyzesi çok hastaymış...

— Ne zaman dönecek?

— Hanım yarın döneceğini söyledi.

Ama o dönmeyeceğini biliyordu! Neel de onun yüzüne bakmakla bile neler olup bittiğini seziyordu belki! İşte kanıtı:

— Gidip yatabilir miyim? diye mırıldanmıştı.

— Önce odama bir bardak çay getir de...

Şu işe bak sen, onunla ne zaman yalnız kalsa canı çekmişti de bir kez bile okşamayı göze alamamıştı! Uslu, yani saf sanmıştı onu!

Kadın çayı gece masasının üzerine koyduğu zaman:

— Hemen gitme öyle... diye fısıldadı. Yaklaş... Korkma...

— Yok! Korkmuyorum ki...

Ne korkması! İlk kez gelmiyordu ki bu iş başına! O ise sinirliydi, yalnız onun yüzünden değil, her şey yüzünden. Sinirlenmesi

için bir sürü neden vardı. Bir ateşle belli ediyordu bu kendini, Neel de tuttu, beklenmedik bir şey söyledi:

— Ne kadar ateşliymişsiniz!

* * *

En sonunda kapı açıldı. Neel kahvaltı tepsisini gece masasının üzerine bıraktı, sonra gidip perdeleri çekti, kardan bir gökyüzü üzerinde ağaçların kara dalları göründü. Gerektiği gibi giyinmeye zaman bulmuştu, saçları taralı, önlüğü temizdi, kolları pembe pembeydi, sabun kokuyordu daha. Neel güzel bir kız olsaydı, Doktor Kupérus o söylediğini söyleyemezdi. Elmacıkkemikleri, köylü kızlarınınki gibi genişti, hatları düzgün değildi. Bedeninde akademik güzellikten iz yoktu kuşkusuz, ama eti dolgundu, sağlamdı, şimdi bile iştahla bakıyordu ona.

— Saat kaç, Neel?

— Sekiz, efendim.

Tıpkı öbür günlerdeki gibi söylemişti, Kupérus'e güven verdi bu.

— Don var mı?

— Hayır, ama kar yağacak. Hangi giysinizi giyeceksiniz?

— Kara giysimi... Söylesenize, Neel...

Ona bazan "sen" diyordu, bazan da "siz"...

— Efendim?

— Benim yatağımda uyumak tuhafınıza gitti mi?

— Neden, efendim?

— Benden önce çok sevgiliniz var mıydı? Dinleyin, Neel... Ne zaman başladığınızı bilmek isterdim, kaç yaşında...

— On beşimde, Amsterdam'da çocuk bakıcısıyken...

— O zamandan beri de?..

— Evet, o zamandan beri...

Bunun önemsiz olduğunu gösteren bir deviniyle söyledi sözünü.

Tıraş oldu, giyindi, kafasında düşündüğü her şeye Neel karıştı. Aynaya dikkatle baktı, biraz kaba buldu kendini. Olurdu böyle. Kimi günlerde derisi yumuşaklaşırdı, – her seferinde kaygılandırandı bu onu.

Ne olacaktı şimdi? Pencerelerin altında kanalı, yapraksız ağaçları görüyordu. Zil çaldı, bundan sonra gelen karışık gürültülere bakarak ilk hastaların bekleme odasına girdiklerini anladı.

Her şeyden önce, karısının yokluğuna şaşmalı, bir iki gün içinde de bu yokluğu polise bildirmeliydi! Kolaydı bu, Neel'de denemişti. Daha önceleri yalan söylemesini beceremezdi, ama kendini rolünde çok rahat buluyordu.

Yaptıkları nasıl anlaşılabilirdi ki? Kimselere görünmemişti. Yürüyen trenden indiği nereden akıllarına gelecekti?

Odasından çıkıp salona gitti. Neredeyse gülümseyecekti, çünkü bir öyküsü vardı bu salonun. Bir yılı aşkın bir zaman geçmişti bunun üstünden, Alice Kupérus salonun yeterince modern olmadığını söylemişti. Amsterdam'dan, La Haye'den kataloglar getirtmişti. Kocası pek kulak asmamıştı buna, çünkü boşuna masraf olacaktı, eski salon da pekâlâ ağartırdı daha yüzlerini.

Sonra kararını vermişti.

— Salonun olacak...

Bundan tam üç gün sonra da imzasız mektubu almıştı! Karısının örtü, perde örneklerini karıştırıp durduğu bir sırada...

Hastalara baktığı odaya girdi, bekleme odasının kapısını açtı, şimdiden beş kişi vardı. Az sonra yirmi kişiyi bulacaklardı, çünkü bir florine hasta bakardı. Beyaz önlüğünü giymişti. Gene her günkü gibiydi, kurumlu, soğuk. Kendini görüyordu, olduğu gibi. Kendinden memnundu. Yüzü kabuk kabuk bir oğlanla bir kadın girdi. Defterini aldı, bir merhem yazacaktı. Bu sırada sarardı, göğsündeki sıkıntıyı yeniden duydu.

Biri biliyordu! Her şeyi düşünmüştü de bir bunu düşünmemişti! Bu ayrıntı nasıl kaçmıştı gözünden?

İşin en korkunç yanı, kendisinin bu adamı (ya da bu kadını) tanımamasıydı! İmzasız mektubu yazan kişiydi bu!

Bu kişi, çifte cinayeti duyunca her şeyi anlayacaktı.

Kimdi? *Under den Linden*'deki dostlarından biri mi? Niçin Neel olmasın, her şeyi bilen Neel?..

O zamana kadar neler düşünmüştü? Doktor Amsterdam'a gitti mi, Alice Kupérus'ün de bir yerlere gittiğini gördüğüne göre, Neel her şeyi biliyordu kuşkusuz! hiçbir zaman bir şey söylememişti.

Alice onu satın almış, susturmuş olmalıydı...

Merhemin formülünü bulamıyordu artık. Bir ara, yüzü kabuk bağlamış çocuğun burada ne işi olduğunu düşündü. En sonunda içini çekti, yazdı, ondan sonrakine, kaburgaları arasında sinir ağrıları çeken bir yaşlıya açtı kapıyı.

İmzasız mektubu Neel yazdıysa?..

Yanılmamıştı: sabah yirmi iki kişi geldi, saat on bir olunca da, her zamanki gibi, hasta bakmaya ara verdi, bir bardak çay içip bir dilim reçelli ekmek yedi. Temizlik günü olduğu için cila kokan yemek odasında içiyordu çayını. Gidip dolaşmak, hizmetçinin çevresinde dönmek gereksinimini duydu.

— Bir şey mi istediniz? diye sordu hizmetçi.

İşin en tuhafı onu hâlâ arzu etmesiydi.

— Hanım daha dönmedi mi? diye sordu yalnızca.

— Hayır... ben de şaşıyorum buna...

Saat beşe kadar böyle sürecekti, o zaman kahveye gidecek, dostlarıyla karşılaşacaktı, hiç kuşkusuz Schutter'den de söz edilecekti.

Yemeğini yedi. Aynada Neel'e bakıyordu.

— Bu geceyi beğendin mi?

— Neden soruyorsunuz?

— Yeniden başlamak ister miydin?

— Çok iyi biliyorsunuz ki hanım dönecek... Bunu bir bilseydi...

Hapishaneye gitse ne olurdu ki yani? Yargıcı tanıyordu, Antoine Groven. O da bilardo oynardı, ama kötü oyuncuydu, miyoptu da. Masanın bir yanında o, bir yanında da avukatıyla birlikte Kupérus duracaktı. Yargıç gene her zamanki gibi Hans mı derdi acaba?

Çantasını aldı, kürklü paltosunu giyip hastalara gitti.

Büyük kanalda, düzinelerle vapur birbirine girmişti, motorların etkisiyle sarsılıyorlardı, hayvan pazarı vardı, köylerden getirilen hayvanlar kente doğru toplanan kanallardan götürülüyordu.

Kupérus, Belediye Alanı'ndan geçmek zorunda kaldı. Schutter'in evine bir göz attı: Schutter bu kentte yeleği çizgili bir oda hizmetçisi, kendisine özel giysi, beyaz eldivenle hizmet eden bir başsofracısı olan tek adamdı.

Kupérus ise, bir Neel, bir de haftada iki kez gelen bir gündelikçiyle yetinirdi.

Ya bu hizmetçi kadın yazdıysa imzasız mektubu? Ona iyiden iyiye bakmamıştı hiç. Onu tanımadığı söylenebilirdi. Oldukça çirkin, ufak bir kadındı ona göre, saçları hep darmadağın bir kara etek yığınıydı...

... Bir kızıl hastalığı... Başka bir yerde, ertesi gün, belki de gece bitmek üzere başlayan bir doğum sancısı?.. Aralık ayı içinde, doğum nedeniyle tam yirmi altı kez uyandırılmıştı!

* * *

En sonunda kahveye girdiğinde saat beşti, çok yorgundu, nedensiz yere yorgundu. Başka günlerdekinden daha fazla hasta bakmamıştı çünkü. Yalnız içinde bir çark, çok hızlı döner gibiydi.

Çantasını her zamanki yerine koydu, yaşlı Jef paltosunu aldı. Orada bulunan Pijpekamp'ın, Van Malderen'in, Loos'un ellerini sıktı.

— Bu kış hiç kayamayacağız, dedi avukat Van Malderen. Bir gece don oluyor, sonra hemen arkasından eriyor.

Bu rahat odadaki duvar saati, Kupérus'ü her zaman etkilemişti. Çok yüksekteydi. Üzerinde Romen rakamları bulunan, soluk, sıradan bir katranı vardı. Ama sarkacı kocamandı, bir parıltıyla süslüydü her zaman, insan bu sarkaca baktı mı burada, yalnız burada saniyeler başka yerlerdekinden daha uzunmuş gibi bir duyguya kapılırdı.

Biraz da doğruydu bu. Hava ılıktı. Kaldırım taşları birbirine uymayan Belediye Alanı hep ıssızdı, yalnız, müzelerde görüldüğü gibi şurasına burasına birkaç insan gölgesi serpilmişti. Belediye Sarayı'nın gotik biçemli küçük kulesi, yaldızlı çan kuleleri görünüyordu.

Jef de bütün döşemelerden daha düz döşemenin üzerinde sessizce yürüyordu. Koyu renkli masalar parlaktı. Bardakları koymak için yuvarlak kartonlar vardı masalarda. Her şey parlıyordu. Her şey huzur dolu bir sakinliğe gömülmüştü, kimseler olmadığı zaman kare sobanın yanına oturup gözlüklerini takan, saatler boyunca *Telegraaf*ı okuyan patron Loos bile.

Üç dört kişi, bir masanın çevresinde, saatlerce konuşmadan durabilirdi. Arada sırada bir şey söylenirdi yalnız. Van Malderen gibi, avadanlıkta pipoları, tezgâhın ardında tütün kutuları olanlar vardı. Ama ardıç rakısı kokusuna karışmış sigara kokuları her şeyi bastırırdı.

— Schutter gelmedi mi?

Kupérus'tü bu konuşan, piposunu yakarken konuşuvermişti. Mikanın ardından ateşe bakıyordu. Ayakları çok güzel oyulmuş, büyük maç bilardosunun üzerinde, lambalar şimdiden yanmıştı.

— Dünden beri görünmedi...

Loos, hiç acele etmeden, sigarasını tüttürmeye ara vermeden ateşi karıştırdı:

— İşin tuhafı, az önce başsofracısı buraya geldi, kendisinden haberimiz olup olmadığını sordu...

Van Malderen göz kırptı. Çok tuhaf öyküler bilirdi, kişiliğine çok uyan, hüzünlü bir sesle anlatırdı bu öyküleri. Çünkü zayıftı, solgun benizliydi, isteyerek Protestan papazları gibi giyinirdi.

— Gene bir kadın... diye içini çekti. Ama benim içim rahat. Bizim hanım öylesine çirkin ki hiçbir zaman aldatamaz beni...

Doğruydu! Buna çok memnundu!

Kupérus:

— Benimle bir parti yapan var mı? diye önerdi.

— Nesine oynayacaksın?

— Bir florinine...

Van Malderen kalktı, ikisi de ceketlerini çıkardılar, gömleklerinin kolları üzerine lastikler taktılar. Herkesin kendi sopası vardı, asma kilitli dolapta saklanırdı.

— İki yüzde!

Oyunun ortasına doğru iki üç arkadaş girdi içeriye, bunlardan biri tütün tüccarıydı, komşu evde otururdu, elinizi sıkarken avucunuza bir sigara sıkıştırmayı çok severdi.

— Bak şunun tadına...

Kupérus kazanıyordu. Başlangıçta bir dizi altmış... Büyük bir ayna vardı, aynada oyun oynayışını görüyor, kendine bakmadan tek devinimde bulunamıyordu.

Schutter'i öldürmüştü, ha! Karısını o kadar düşünmüyordu. Bu o kadar korkunç bir şey değildi. Üstelik yalnız kendi yaşamını ilgilendirirdi.

Oysa Schutter!.. Sayılar sayılırken ondan konuşuluyordu.

— Belediye başkanı altı aya kadar seçimlere katılacağını söyledi...

— Hangi listede?..

— Aşırıların listesinde, elbette!

Çünkü Schutter, onları kudurtmak için midir, züppeliğinden midir, nedir, Schutter, beyaz eldivenli bir sofracı başı kullanan Schutter, devrimci düşünceleri savunurdu.

Hep böyle işte!

Kupérus, bilardonun üzerine eğilirken:

— Gevezenin biridir, dedi.

Sonra düşündü:

— Gevezenin *biriydi.*

— Çok zeki adamdır... Her istediğini yapar... Her işi becerir... Adaylığını koyarsa seçilecektir.

— Seçilmeyeceğine bahse girerim!

Gene Kupérus'ün sesiydi yükselen, bir yandan da yeni bir diziyi sürdürüyor, sayısını sayıyordu.

— Şansı vardır sanıyorum... Milletvekilinin yaşı yetmiş ikiyi bulunca...

— Ya Schutter'in yaşı ne kadar?

— Benim yaşımda...

Hep Kupérus! Elinde değildi! Bir yandan konuşurken, bir yandan da kendi yüzünü incelemek için aynaya bir göz atıyordu.

Hiç diyecek yoktu! Tam formundaydı! Sabahki şişkinlik geçmişti. Dudaklarının köşesinde, gülümseme gölgesine benzer bir şey vardı, ama öylesine belirsizdi ki kendisinden başkası göremezdi.

— Kırk dört mü?

— Kırk altı...

— Daha genç gösteriyor... kendine iyi baktığından olacak...

— Daha kolejdeyken tırnaklarını parlatır, her gün banyo yapardı, dedi Kupérus.

Tamam işte! İki yüz sayı! Kazanmıştı, Van Malderen'in cimriler gibi davranarak cüzdanından çıkardığı gümüş florini cebine attı.

Avukat içini çekti:

— Bu fazla masrafı karıma anlatmam için yalan uydurmak zorundayım, dedi.

Komiklik etmek hoşuna gidiyordu, karısının bir şey söylemeyi göze alamayacağını herkes bilirdi.

— Benimki ne havada bilmiyorum, gibi tehlikeli bir söz etti Kupérus. Hizmetçi, Leeuwarden'den bir telgraf aldığını, oraya gittiğini söyledi.

Van Malderen hemen atıldı:

— Talihin varmış!

İmzasız mektubu bu adam yazabilirdi! Kupérus saklamalıydı o mektubu. Parça parça edip yakmıştı. Yazıyı anımsamıyordu bile. Evet, Van Malderen kendi başına eğlenmek için bunu yapabilirdi. Bu durumda bir şey söylemezdi. Üstünlüğünün tadını çıkarmakla yetinirdi, belki de:

— Talihin varmış! gibi çift anlamlı bir söz atarak yapardı bunu.

Kapı açıldı, herkes bir başka türlü baktı, çünkü içeriye giren genç bir kadındı, lambaların çevresinde süzülen dumanlara aldırış etmeden, salonun dibine, oturmaya gidiyor, bir likör istiyordu.

— Yemek yenebilir mi burada?

Jef, neredeyse üzülerek, "Evet," dedi. Genç kadın sarışındı, yapmacık bir sarışınlıktaydı; giyinişi, Sneek'teki kadınlardan hiçbirinin giyinişine benzemiyordu. Dudakları boyalıydı. Topukları öylesine yüksekti ki üzerinde nasıl yürüyebildiğini merak ediyordu insan. Üstelik, çantasından bir altın tabaka çıkarıp bir sigara yaktı.

Amsterdam'dan geliyordu, burası kuşku götürmezdi. Her şeyi erkekler için, Sneek'in gerçek burjuvaları için hazırlanmış bu kahveye hiç rahatsız olmadan, alaylı bir gözle bakıyordu.

— Garson, baksanıza...

Jef koştu, havlusu elinde.

— Kont de Schutter nerede oturuyor, biliyor musunuz?

— Kont mu? diye kekeledi Jef... M. Cornélius de Schutter'i mi soruyorsunuz?

— Evet, adı budur.

Herkes dinliyordu, sobanın horultusu duyuluyordu yalnız.

— Buradan yüz metre ötede, alanda oturur, belediyenin yanında.

— Telefon edilebilir mi?

— Gitmek daha çabuk olur.

— Bunu sormuyorum size. Telefonu var mı diye soruyorum.

— Elbette... 133...

— Kabin nerede?

— Lavaboların solunda...

Kalktı, sigarasının külünü silkti, kendisini gözetleyenlere aldırmadan ortadan geçti. Kabinin kapısı kapandıktan sonra hafif bir zil sesi duyuldu, sonra da bir çıtırtı, sonra da karışık heceler.

Birbirlerine bakıyorlardı. Van Malderen içkileri yenilemesini işaret etti Jef'e.

— Bir daha! diye içini çekti Loos.

Van Malderen de:

— Gelip askıntı olacağını bildiği için gitti belki, dedi.

Genç kadın çıktı, gene Jef'e seslendi:

— Odanız var mı?

— Hayır, bayan. Burası otel değil. Ama *İstasyon Oteli*'nde bir oda ayırtabilirim size... Çok iyidir... Suyu muyu tamamdır...

— Bir sherry-brandy daha verin bana...

Kaygılıydı. Üç genç adam girdi içeriye, bilardo oynayacaklardı, ama topluluktan değildiler. Memurdu bunlar, en büyükleri yirmi

beşine gelmemişti, durmadan konuşmak, gülmek gereksinimi duyuyorlardı.

— Garson!..

— Buyurun, bayan...

— Kont de Schutter sık sık gelir mi buraya?

— Her gün, bayan.

— Yolculuğa çıktığını kimseye haber vermedi mi?

— Hayır, bayan.

Loos kalktı, doğrudan doğruya patronun yanıt vermesi gerektiğini düşünmüştü.

— Daha dün saat üçte buradaydı... dedi. Bugün burada görünmeyişine çok şaştım, uşağı da az önce telefon etti bana, kaygılandığını söyledi.

Kupérus uyuşmuştu. Kunduraları sobaya dokunuyordu. Tütün tüccarının verdiği bir sigarayı yakmıştı. Bu tuhaf kadına bakmak için gözlerini kırpıyordu.

Bir arzu uyandırmıyordu üzerinde, bunu anlıyordu. Ama her şeye karşın güzeldi. Tuhaf değil miydi? Neel, kötü giyinen, kötü taranan, kaba saba Neel, yanaklarını ateşlendiriyordu. Şimdi bile düşünüyordu onu. Hatta onunla ilgili bir sorun çıkıyordu.

Onu bu gece de yatağına almayı göze alabilecek miydi? Göründüğü kadar basit değildi bu. Çünkü karısını hâlâ bekliyormuş gibi davranması gerekirdi. Biraz geç mi kalıyordu acaba?

— Jef, şu rehbere bir baksana, Leeuwarden'de Bayan Costens'in telefonu var mı?

Bayan Costens, şu ünlü hasta teyzeydi. En akla uygunu ona telefon etmesiydi.

Yalnız iki kez görmüştü onu. Oldukça bayağı, şişman bir kadındı, Alice ondan söz etmekten hoşlanmazdı, çünkü bir balıkhane işletirdi.

Aslında koskoca balıkhanenin telefonu olması gerekirdi! Jef rehberi karıştırdı. Kupérus sigarasını tellendiriyor, sarı saçlı, yabancı kadına bakarak karısını düşünüyordu.

İki kadın arasında bir bağ vardı: Schutter! Bu adam hangi sapıklığa kapılmış da ona el koymaya kalkmıştı? Fazla ateşli mi buluyordu onu?

Ya o, hele, o, kendini bu serüvene nasıl atabilmişti? Yeniden düşündü mü hiçbir şey anlamıyordu insan. Böyle delilikler yapabilecek bir kadının tam tersiydi o!

Bir şekerlemeye benzerdi. Şeker kokardı. Pastalarla beslenirdi, derisi bademli kurabiye pembeliğindeydi. Bir masa örtüsü almak için tam sekiz gün boyunca örnekler üzerinde oynayabilirdi!

Aynı marka çikolatalar yerdi, her pakette resimler, dünyanın bütün çiçeklerini gösteren, sıradan, renkli resimler vardı da ondan. Bunları bir albüme yapıştırırdı!

— Balıkhane miydi? diye sordu Jef.

— Evet!

Gençler çok gürültü ediyorlardı. Van Malderen, yabancı kadına bakarak gülünç bir biçimde içini çekiyordu.

— Bekârlık çok hoş olmalı... Hiç bekâr olmadım ben...

— Yalnız evlenmeden önce...

— Ne gezer! Öyle bir annem vardı ki azizeydi sanki, beni evleneceğim kadına tertemiz saklamayı koymuştu aklına...

— Başardı mı?

— Dörtte üç başardı...

— Bayan Costens telefonda!

Az sonra konuşuyordu:

— Siz misiniz, teyze? İyileştiniz mi biraz? Ne diyorsunuz? Karım sizde değil mi?

Güldürüyü yalnız kendisi için oynuyordu, çünkü kabinde yalnızdı. Şaşmış, korkmuş gibi yapıyordu. Çıktığı zaman gözleri büyük büyük açılmıştı.

— Dostlarım... Jef, bir ardıç rakısı getir bana...

— Ne oldu sana?

— Dostlarım... Başıma gelenler...

Sesini alçalttı.

— Karımın Leeuwarden'de olması gerekirdi... Orada değil...

Ardıç rakısını bir dikişte içti, aynada kendine baktı.

— Hizmetçi yanlış anlamış olacak, dedi Loos. Başka bir teyzedir herhalde.

— Başka teyzemiz yok!

Van Malderen, alaylı alaylı kunduralarının ucuna bakıyordu.

— Kusura bakmayın, yalnızlığa, düşünmeye gereksinimim var...

Çıktı, gerçekten şaşkın bakıyordu, alanın köşesine kadar böyle kaldı.

Yüzü nasıldı acaba? Bilmiyordu artık. Gerekeni yapmıştı. Ama şimdi? Polise başvurmak için çok erkendi daha, Neel'i yeniden bulacaktı...

Üst yanında kocaman, pembe ipekten bir abajur bulunan yemek odasını da yeniden buldu. Her şey pembeydi, çok hoş bir şeydi bu.

— Hanım dönmedi mi?

— Hayır, efendim.

— Telefon eden olmadı mı?

— Yalnız doktor beyin ilk fırsatta Meeus'lara uğramalarını rica etmek için. Hasta fenalaşmış anlaşılan...

— Neel.

— Efendim.

— Gözlerime bakın, Neel!.. Hanım, teyzesine gitmedi... Bunu biliyordunuz, değil mi?

— Evet, efendim.

İşte o kadar! Nasıl istediyse öylece, gözlerine bakıyordu.

— Nereye gitti?

— Bilmiyorum, efendim. Bana söylemedi.

— Sizin aklınıza bir yer gelmiyor mu?

— Hayır, efendim.

— Gel buraya.

Yemeğini yiyordu. Neel beyaz önlüğünü giymişti. Kolunu Neel'in beline doladı.

— Azıcık beni seviyor musun, Neel?

— Ne demek istiyorsunuz?

— Dün geceyi beğendin mi?

— Sorunun böylesi de!

— Gene öyle yapmak ister misin?

— Ya hanım dönerse?

— Hanım da yapmıyor mu sanki? Ha? Bana yanıt verebilirsin, şimdi...

— Elbette!

— Biliyor muydun?

— Elbette!

— Ne düşünüyordun?

— Yazık diyordum, her şeyi yerinde olan bir kadının...

Gözleri, doğal olarak rahat mobilyalara, sofraya gidiyordu.

— Sonra?

— Değmez diye düşünüyordum...

— Neye değmez?

— Beyefendiyi aldatmaya...

— Gel, otur şuraya...

— Ben mi?

— Evet, sen! Benimle ye...

— Yemesem daha iyi!

— Neden?

— Olmaz da ondan.

— Yatağımda uyudun ama!

— O başka... Mutfakta da işim var ayrıca. Bana kızmıyorsunuz ya?

Yalnız kalınca aynaya baktı gene. Sıcak geliyordu. Korkuyordu. Neden korktuğunu pek bilmeden korkuyordu. Hayır! Belirsiz bir korku, bazı bazı göğsünü sıkan sıkıntı gibi bir sıkıntı.

Çabuk çabuk, iştahsızca yedi, mutfağın kapısını açtı.

— Bitiremedin mi daha?

— Kapların yıkanması kaldı...

— Yarın yıkarsın, gel...

Bu bir gereksinimdi. Yalnız kalmamak!..

— Ya hanım dönerse?

— Dönmeyecek, boş ver!

Allah belasını versin. Bunu söylememesi gerekirdi, ama bile bile söylüyordu.

— Gel, benim koca kızım...

Evet, evet! Spitzberg vapurundan da kötüydü! Karanlık odalarıyla, gece masasının üzerindeki tek ışığıyla, bilinmedik, karmakarışık bir dünyada yüzüyordu bütün ev, yalnız Neel'in pembe gömleği dışında kalıyordu bunun, Neel öne eğilmiş, saçları yüzüne düşmüştü, çoraplarını çıkarıyordu.

Peki, neye doğru yüzülüyordu?

Neel'in ağzı da Alice Kupérus'ünkü gibiydi, çikolata tadındaydı! Şu resimli çikolata tadında!

III

Doğrusu çok iyi buldular. O kadar ki gülünçlükten kurtuldu. Ama ne olursa olsun, oyun oynamak çabasına katlanamıyordu. Yapması gerekeni yapıyordu, o kadar.

Polis müdürüne de böyle gitti. Polis müdürü zayıf bir adamdı, her zaman yelek giyerdi, uzun zamandır tanırdı onu. Polis müdürü hüzünlü bir yaratılıştaydı. Kupérus de böyle bir iş için keyifli görünecek değildi ya.

— Buyurun. Nasılsınız, iyi misiniz?

— Oldukça.

— Bayan Kupérus de iyi mi?

— İşte!.. Bilmiyorum. Karımın iki günden beri ortadan yok olduğunu bildirmeye geldim.

Sıkıntıyla, hiç yoktan üzerine yüklenmiş bir iş gibi yapıyordu bunu. Bu da büyük bir sıkıntıyı perdeleyen bir durum sayılan bir sıkıntıydı.

Polis müdürü, parmaklığın üzerindeki kırmızı güllere baktı:

— Tuhaf... diye mırıldandı.

— Karımın ortadan yok olması mı?

— Aynı zamanda bir başkasının, dostlarınızdan birinin, Avukat Schutter'in de ortadan yok olduğunu bildirmeleri...

Kupérus, bunun karısıyla hiçbir ilgisi olmadığını söylemek ister gibi omuz silkti. Polis müdürü gibi kimselerin ipucu aramaları, kendisine acıyarak bakmaları, hastalar gibi uğurlayıp elini coşkuyla sıkmaları onu keyiflendirmedi bile.

— Elimden geleni yapacağım... Bir kaçamaktan başka bir şey değildir inşallah... Belki de önemsiz bir anlaşmazlıktır...

Kupérus, soluk bir gülümsemeyle teşekkür etti. Dışarıda, bir vitrinin önünde durdu (bir eczacı vitrininin önünde durmuştu rastlantıyla, kocaman bir sarı kavanozdan başka görülecek bir şey yoktu), aynada kendine baktı, gerçek bir dula benzeyişine şaştı.

* * *

Saat beşte *Under den Linden*'de görünmeyebilirdi, ama tam tersine, bunun zorunlu olduğunu düşündü. Çantasıyla gitti, yerine koydu, paltosunu Jef'in kollarına bıraktı, ötekilere dönmeden önce:

— Bu kez don var! diye mırıldandı.

Sabahtan beri müthiş bir don başlamıştı. Sneek'i düzenli dikdörtgenler biçiminde kesen kanalların üzerini şimdiden buzlar kaplıyordu. Bu donmada Tanrı'nın hikmetini kim bilebilirdi? Hiç kimse! Bunun için, Kupérus, Van Malderen'e, sonra Loos'a, sonra orada bulunan başka iki kişiye elini uzatırken:

— Don zorlu! diye yineliyordu.

Dünkü küçük, sarışın kadının gene orada, aynı yerde olduğunu, sert bir gözle kendisine baktığını fark etti. Kendisini ikinci kez gördüğü için, hafif bir selam vermenin uygun olacağını düşündü.

Van Malderen, "Zavallı dostum!" der gibi bir sesle:

— Ne haber? dedi.

Kupérus içini çekmekle yetindi:

— Evet...

Jef lastiklerini çıkarırken, bacaklarını ateşe doğru uzattı.

Van Malderen, biraz sustuktan sonra:

— Gazete yazıyor, diye mırıldandı.

— Ya! Karımı mı yazıyor?

— Hayır! Schutter'i... *"Sayın avukat en küçük bir iz bırakmadan ortadan silindi, ama şimdilik belalı bir yolculuğun söz konusu olduğu umulmakta..."*

Kupérus döndü, arkasında biri vardı, sarışın kadın ayakta, kaygıyla ona bakıyordu.

— Kocası sizsiniz, değil mi?

— Kimin kocası?

Van Malderen başını çevirdi, çünkü ciddi kalamamaktan korkuyordu. Yalnız Kupérus doğaldı, inanılmaz ölçüde doğal.

— Cornélius'le giden kadının kocası, diye belirtti kadın.

Önce sigarasını yaktı, bu arada yüzü daha ciddi, daha temiz göründü. Sonra düşmana karşı koymak ister gibi çevresine baktı.

— Söylediğinizin doğru olup olmadığından haberim yok. Hepimizin başında bir uğursuzluk dolaşıyor, ama kanıt ortaya çıkıncaya kadar, karımın namusundan kuşku duyulmasına izin vermeyeceğim.

Neredeyse alkışlayacaklardı onu. Tek başına kalan yabancı kadın sabırsız görünüyordu. Dünkü kibar, uzak yolcu değildi artık; davranışı da, sesi de bayağılığını ortaya koymaktaydı.

— Gittikleri yer hakkında sizin bir görüşünüz yok mu? Gelmezse ben ne yaparım?

Başına gelenlerden sorumlu tutmak ister gibi bakıyordu herkese.

— İnanın ki çok üzüldüm... diye içini çekti Kupérus... Bilardo oynadı, çok doğru buldular bunu, çünkü çok ağır kaygılardan sıyrılmak isteyen bir adam havası vardı üzerinde. İşin gerçeğine bakarsanız, Neel'i düşünüyordu.

* * *

Gerisinin önemi yoktu. Kupérus muayenelerini yapıyor, hastalarına gidiyor, bir saatini dostlarının yanında geçiriyor, yemeğini *Telegraaf* okuyarak yiyordu. Termometre sıfırın altında "on"u gösteriyordu şimdi. Bir iz kalıp kalmadığını görmek için *oraya* gitmeye bile kalkmadı.

Pencerelerinden, donmuş kanalı, her sabah, gemilerinin çevresindeki buzları kıran denizcileri görüyordu. Çocuklar renk renk başlıklar, lastik çizmeler giyiyorlardı. Geçenlerin ayak sesleri çok uzaklardan duyuluyordu, çünkü kaldırımlar sertleşmişti.

Ne çıkardı bundan? Bir komiser geldi, polis müdürü gibi saygılıydı o da. Kupérus bir bardak şarap ikram etti, çünkü şöminenin yanında rastlantıyla bir Bourgogne şarabı şişesi duruyordu. Komiser not almak için defterini açtı.

— Bayan Kupérus hangi elbisesini giymişti?.. Saat kaçta gitmişti?.. Mantosunun rengi neydi?..

— Neel'i çağırayım, dedi doktor.

Yanıtları Neel verdi. Neel ondan daha heyecanlıydı. Neel o gün sinirliydi. Yemeği getirirken bir tabak kırdı, kötü bir belirtiydi bu. Kupérus bir yandan yemek yerken, bir yandan da onu kendine doğru çekince de:

— Biraz ciddi olun! dedi, suratını astı.

Konuşmasındaki saygı, gittikçe azalıyordu. Komiser gittikten sonra da çağrılmamasına karşın salona girdi, köylü kadınlar gibi bakıyordu.

— Sizinle bir dakika konuşabilir miyim, efendim?

— Ne istiyorsun, Neel?

— Daha önce söylemeliydim size... Geceleri odanızda kalmasam daha iyi olacak... Gerisinin önemi yok, ama yatağınızda yattığım anlaşılacak en sonunda... Beni bile rahatsız ediyor... İşte böyle!

— Neden bunu bana bugün söylüyorsun?

— Çünkü! Ne bileyim ben...

— Neden dün söylemedin ya da önceki gün?..

Neel omuz silkti, sonra da:

— İlla ki bilmek mi istiyorsunuz? dedi. Benim için fark etmez...

— Karl memnun değil... Anladınız mı şimdi!.. Karl benim dostumun adı...

— Bugün görüşme gününüz mü?

Gene omuz silkti.

— Hayır!

— Birkaç gündür benimle birlikte olduğunu biliyor mu?

— Elbette!

— Bunun için mi şey etmek istemiyorsun?..

Neel sabırsızlanıyordu, neredeyse ayağını yere vuracaktı.

— Yok canım! Anlayamadınız. Beni kovmayacağınızı biliyorum. Konuşabilirim. Karl beş aydır burada yatıp kalkıyor...

— Burada, evde mi?

— Benim odamda...

— Görünmeden nasıl girip çıkabilir?

— Ben...

Kızardı, duraladı, başını önüne eğdi:

— Ona bir anahtar yaptırdım. Gece herkes uyuyunca giriyor, sabah erkenden de çıkıyor...

— Bu son günlerde de mi?..

"Evet," diye işaret etti başıyla. Kupérus şaşırıp kalmıştı. Benzinin solduğunu, çok iyi olmadığını sezdi, bir bardak şarap doldurdu.

— Sen de ister misin?

— Teşekkür ederim. Kırmızı şarabı sevmem.

— Nasıl adamdır?

— Karl mı? Alman, Emden'li...

— Ne iş yapar?

— Hiç... İş bulamadı... Büyük şölenler oldu mu geçici bir zaman için çalıştırırlar...

— Beni yalnız bırak, olur mu?

— Bu gece serbest olacak mıyım?

— Evet... Ya da en iyisi, ben sana az sonra söylerim...

Ateşin önüne, koltuğa yerleşti. Abajur pembe bir ışığa boğuyordu odayı. Açık ve parlak olmayan tek ışık yoktu. Büfede kristaller ışıldıyordu. Bakırlar, bol bol ışık yansıtıyordu. Şöminenin sağ yanına üst üste sigara kutuları yığılmıştı, şarap şişesi de boş değildi.

Kupérus oturamadı. Hatta bir şey söylemek, bağırmak için ağzını açtıysa da bağıramadı, çünkü aynada kendini gördü.

Olur şey değildi, tüm varlığını altüst ediyordu bu. Öylesine akla sığmaz bir şeydi ki Neel'in yalan söyleyip söylemediğini düşünüyordu.

Beş aydan beri bir adam her gece evinde yatıyordu. Hiç kimse de aklına getirmiyordu bunu! Kendi evlerinde oturduklarından kuşku duymadan gidip geliyorlardı. Rahat rahat yaşıyorlardı. Öte yandan, Kupérus şu son günlere kadar hizmetçinin göğsüne şöyle bir dokunmayı bile göze alamamıştı.

Bu adamda, bu Karl'da bir anahtar vardı! Ama en korkuncu, en tuhafı, bu olaydan beri hâlâ orada, Neel'in demir karyolasında tek başına uyumasıydı, Neel şey ederken...

Çağırdı. Bir hizmetçi çağırır gibi zile bastı. İki odanın içinde gidip geliyordu, çünkü salonla yemek odasının arasındaki çift kanatlı kapı açıktı.

— Seni seviyor mu bu adam?

— Sanırım.

— Kıskanmıyor mu?

— Bilmem.

— Benimle yatmanı kabul etti mi, kısacası aldatılmayı kabul ediyor mu?

— Aynı şey değil bunlar.

— Aynı olmayan ne?

— Siz!.. Karl bunun gerekli olduğunu anlayacak kadar zekidir...

— Çık... Gidebilirsin...

— Peki, bu gece?

— Bu gece benimle yatacaksın, anlıyor musun? Senin de söylediğin gibi gerekli bu! Ama çık şimdi, çık!

Dayanacak durumda değildi. Bunun böyle bir etki yapacağını ummazdı. Şimdi de Neel'i kıskanıyordu işte! Bağlantılarının önemli olmadığını söyledi diye acı çekiyordu...

Bunu anlamak içini ürpertiyordu. Ne olduğunu bilmese de tehlike seziyordu. Rahatlamak için dışarıya çıkmak zorunda kaldı. Şimdi aşağı yukarı ıssız olan rıhtımlarda, kanallar boyunca yürümeye başladı.

Ya bu Karl'sa imzasız mektubu yazan? Çalışmadığına, kalacak yeri olmadığına göre haydudun biriydi kuşkusuz! Ne umuyordu? Ne bekliyordu?

Doktor Kupérus *Under den Linden*'in önünden geçti, ama girmedi, içeriye şöyle bir göz atmakla yetindi. Dört bilardonun dördü de doluydu, yıllık şampiyonluğun sonu yaklaşıyordu çünkü. Sarışın kadın, tezgâhın yanında, Van Malderen ve sırtı pencereye dönük bir adamla birlikte oturuyordu.

Kupérus odasına çıkmadan önce:

— Çayımı getir! diye bağırdı.

Akşamları hiç çay içmezdi, ama ilk gün, Neel'i odasına getirtmek için bunu bahane etmişti, o zamandan beri de alışkanlık olup çıkmıştı bu.

Oda ceketini giydi. Biraz sonra hizmetçi yukarıya çıktı, doktora bakmaktan sakınarak masanın üstüne koydu tepsiyi. Sonra, gözleri donuk soyunmaya başladı.

— Yukarıda mı? diye sordu Kupérus.

— Evet.

— Ne dedi?

— Hiç! Ne desin?

Yorganı düzeltti, çarşafların arasına kaydı, ellerini ensesinde çaprazlayıp bekledi.

— Şey ettikten sonra burada ya da yukarıda uyumamın ne farkı var sizin için?

Yanıt vermedi. Dişlerini fırçalıyordu.

— Kıskanmıyorsunuz ya?

Kupérus titredi, ona baktı. Neel çoğu zaman olduğu gibi sakindi, asık suratlıydı.

— Onu seviyor musun?

— Bilmem.

— Nasıl bir adam?

— İri, çok zayıf, parlak parlak gözleri var...

— Almanya'da ne yaparmış, biliyor musun?

— Hayır. Başının belaya girdiğini söyledi yalnız. Çok bilgili... Buradan bir adam değil...

— Nerede rastladın ona?

— Sokakta... Ben alışveriş yaparken günlerce izledi.

— Ne kadar oluyor?

— Beş ay, söylemiştim...

Bu gerçekse, imzasız mektubu o yazmış olamazdı. Kupérus yatmıştı. Neel'in bedeninin sıcaklığını duyuyordu. Neel'in bedeni, hangi anda olursa olsun, cansız gibi duruyordu.

— Neel!

— Efendim...

— Açıkça söyle bana... Onunla da benimle olduğun gibi misin?

— Nasıl?

— Soğuk... Duygusuz...

— Evet.

Doğruydu. Duralamamıştı. Söyleyişi içtendi. Yalan söyleme çabasına da katlanmazdı.

— Hanım daha buradayken Karl ortaya çıksa ne olurdu?

— Gitmiş olurdum...

— Bir yer de bulamasaydın?..

Bunun kendisine vız geldiğini, üstelik bütün bu soruların can sıkıcı olduğunu söylemek ister gibi içini çekti.

Keyifsizdi. İnatla tavana bakıyordu.

— Bütün gün ne yapıyor?

— Ne bileyim ben!

— Yiyeceğini sen veriyorsun elbette.

— Elbette!.. Onu doyuracak kadar yemek artıyor, bol bol...

Bunu fazla düşünmemeyi uygun buldu, çünkü uzun zaman, hatta ömrünün sonuna kadar karısının aklını karıştıran küçük gizemi anımsatıyordu: sofradan kalkanların yok olmasındaki gizem işte! İşte aydınlanmıştı. Ama artık çok geçti.

— Benim hakkımda ne düşünüyorsun, Neel?

— Ne düşüneyim istiyorsunuz?

— Gerçeği söyle bana. İzin veriyorum, biliyorsun...

— Biliyorum... Tuhaf işte...

— Tuhaf olan ne?

— Uyusak nasıl olur?

— Neyin tuhaf olduğunu soruyorum sana.

— Siz! Yaptığınız her şey! Beni koynunuza alışınız... kısacası her şey! Anlatamam... Bir şey yapıyor muyuz, uyuyor muyuz? Sabah, saat yedide kalkmam gerek...

— Uyu öyleyse! diyebilmek isterdi ilgisizce.

Ama nerede! Onun için dayanılmaz bir şey olmuştu bu, zorunlu olmuştu...

* * *

Saatlerce uyanık durdu, evinde, tepesinde uyuyan bu adamı düşünüyordu.

Neel'e onu kapı dışarı etmesini buyurmayı göze alamamıştı, belki onunla giderdi çünkü. Hem de büyük bir olasılıkla. Üstelik bazı şeyleri anlatmayacağı nereden belliydi?

Öte yandan, hizmetçinin bu Karl'ı gene göreceğini düşünmeye katlanamıyordu. Uyuyuşunu dinliyordu. Bir kolunu uzatmıştı, omzuna dokunuyordu.

Şu sarışın kadın da Sneek'te ne yapıyordu ki hâlâ, ne diye *Under den Linden*'de sürtüyordu?

Korkmuyordu, hayır! Hiçbir şeyden korkmuyordu. Korkusu o kadar azdı ki örneğin bir ara Karl'la konuşmak, daha çok ne yapıda olduğunu anlamak için tavan arasına çıkmak bile geçti içinden.

Neden olmasın? Bu durumda...

Uyanıklıkla uyku arasında geçen bu gece, ertesi sabah, tuhaf bir sonuç verdi. Gevşekti, hafifti. Muayene odasına gitti, beyaz önlüğünü giydi, bütün bunların neye yarayabileceğini düşündü, düş içindeymiş gibi açtı kapıyı, kaburgalarının arasında bir sinir hastalığından acı çektiğine inandırarak uzun zamandır kendine baktıran yaşlı adamı gördü.

— Günaydın, doktor... Durum iyi değil... Bu gece üç kez kalkmak zorunda kaldım gene... yattım mı soluğum kesiliyor... Yalnız bir çare var: Yatağımın başında, ayakta durmak...

— Kaç yaşındasınız?

— Altmış dört... Altmış beşime giriyorum... Bu ağrılar iki yıldır yakama yapışmasaydı...

Adam soyunmaya başlamıştı, Kupérus, fişleri, aygıtları sıralıyor, onu görmüyordu. Dönünce, hastanın çıplak göğsünü gördü, odanın solgun ışığında zayıf, soluk bir göğüs.

— Giyinebilirsiniz.

— Bakmayacak mısınız?

— On beş gün önce bakmıştım.

— Ama kötüleşti.

— İyi ya!

— Ne demek istiyorsunuz?

Yaşlı adamın sesiyle sıkıntı yükseliyordu, buz gibi bir sıkıntı.

— Altmış dört yıl yaşadınız, değil mi? Herkes bu şansa erişemez.

— Şey mi diyorsunuz?..

— Bitti işte!.. Bir ay diyelim... Çabuk giyinin...

Ölüm korkusuyla inleyen bu insanlar canını sıkıyordu! Kendisi de hasta değil miydi? Meslektaşlarına sormamış mıydı?

Ama bu *önce*dendi. Şimdi her şey değişmişti. Kendini incelemiyordu, yüreğinin vuruşlarını dinlemiyordu artık; ne olsa yiyordu, ne olsa içiyordu, her gece de fazlaya kaçıyordu.

Yaşlı adam ağlıyordu. Midesini bulandırdı bu, onu dışarı itti.

— Sonraki!

İmzasız mektuptan bile korkmuyordu artık.

Hâlâ düşünüyordu ya, bu artık aşağı yukarı bir eğlence, bir tür bulmacaydı.

Neel mi? Van Malderen mi? Tanımadığı biri mi? Bilmek isterdi, meraktan. Yanına yaklaşan insanların yüzüne iyice bakıyordu, çünkü bu mektubu yazan kimsenin, kendisini inceleme arzusunu yenemeyeceğini düşünüyordu. En çok canını sıkan öteki mektuplar oldu: Amsterdam'daki kayınbiraderinin mektubu, Leeuwarden'deki teyzenin mektubu, sonra Alice Kupérus'ün bir sürü mektubu...

Gazeteler kaybolduğunu bildirmişlerdi. Ayrıntı sormak için kendisine mektup yazıyorlardı, Amsterdam'daki kayınbirader çok heyecanlanmıştı, çünkü profesördü, skandalın işine bir çamur sıçratmasından korkuyordu. Olayı yaydı diye Kupérus'e kızacak kadar ileri gidiyordu...

Under den Linden'deki sarışın kadına gelince, ne diye burada durduğu anlaşılmıştı. Giz verilecek bir adama benzemeyen Van Malderen'e her şeyi anlatmıştı.

Adı Lina'ydı. Schutter ona her ay iki yüz florin yollardı, zaman zaman onunla bir hafta Amsterdam'da kalırdı.

Parası bitmişti. Evine dönmesine yetecek parası bile yoktu! Günden güne kabaran otel borcunu ödeyecek parası hiç yoktu!

— Bizlerden birine güveniyor... dedi Van Malderen. Fena kadın değil... Karım olmasaydı...

Gözü sözlerini yalanlıyordu, Kupérus Van Malderen'in şimdiden ağa düştüğüne, Lina'ya bazı yardımlarda bulunduğuna inandı.

* * *

— Alo! Siz misiniz, doktor? Rahatsız ettiğim, daha çok yersiz bir sevinç verdiğim için özür dilerim. Londra'dan, Douvre'a, hemen hemen karınızın giydiği giysileri giymiş, üstelik kimlik belgeleri de olmayan bir kadın geldiğini bildirmişler...

Polis müdürüydü bu.

Kupérus duruma çok uygun düşen bir sesle:

— Oraya gitmem mi gerekiyor? diye sordu.

— Şimdilik hayır. Yararsız olur sanıyorum. Bir resmini istedim, gelecek.

Ne olursa olsun, böyle süremezdi. Günler geçiyordu. Şubat geliyordu, donların sonu bekleniyordu. Bu koşullar altında, cesetler suyun dibinde kalmayacaktı, orası her ne kadar ıssızsa da bir etek ya da bir pardösü ucu görecek biri geçecekti.

Kupérus'ün Karl'la karşılaşması da başka bir sorundu. Ya, karşılaşmışlardı! Doktor, tavan arasındaki adamı tanımadan yaşayamazdı artık.

Bir sabah, Neel ateşi yakıp sütlü kahve hazırlamak için inerken, Kupérus ayaklarının ucuna basa basa yukarı çıkmış, kapıyı birden açıvermişti.

Gerçekten de biri vardı yatakta. Tıraş olmamış, çok genç bir adam, ağır ağır gözlerini açtı, yatağının içinde kımıldamadan durdu, kaşlarını çatmakla yetindi.

Kupérus, düşünmeden:

— Affedersiniz... diye başladı.

Bunu söylemek gülünçtü, ama başka bir şey bulamamıştı, sonra Karl'ın soluk alışını duydu, sürdürdü:

— Hasta mısınız?

Öteki Almanca:

— Biraz... diye homurdandı.

— Ne zamandan beri?

— Dün bütün gün yattım.

Kupérus nabzını yokladı, eliyle alnına dokundu.

— Sıradan bir grip, ama bronşite çevirebilir. Neel sıcak içkiler getiriyor mu?

— Grog!

— Bugün de yatmak niyetindesiniz sanırım?

— Öyle olması gerek.

Demir karyolanın ucundan başka oturacak bir yer yoktu, Kupérus de öyle yaptı.

— Hâlâ bir iş bulamıyor musunuz?

Öteki içini çekti, doktor da bunun:

— Budalalığı bırakalım. Pekâlâ biliyorsunuz iş aramadığımı... demek olduğunu anladı.

Oldukça yakışıklıydı. Sinirli ve ince hatları vardı, ağzı bir alay belirtiyordu. Giysileri yerde bir yığın oluşturmuştu.

— Karınız bulunmadı mı?

— Daha bulunmadı!

Üzerine çöken bakış önünde bu kez de Kupérus sendeledi.

— Neden Neel'le önceden ilgilenmiyordunuz? Ne oldu size?

— Düşünmemiştim.

— Bir de karınızdan korkuyordunuz! Bir kez az kaldı yakalıyordu beni. Gaz için geldiğimi söyledim...

Bilmediği, hiçbir zaman bilmediği bir sürü şeyler!

— Size aspirin göndereyim, dedi kalkarken.

Şubatın ikisiydi. Bayan Costens, yeğeninden bir haber çıkıp çıkmadığını sormak için telefon etmişti. Kupérus'ün bir sürü hastası vardı, saat on birde, üniformalı bir memur geldi, hemen belediyeye gitmesini söyledi.

Hastalarını geri yolladı, paltosunu sırtına geçirdi, bütün saygınlığını takındı. Onu bekliyorlardı: belediye başkanı, polis müdürü, yardımcısı, sonra iki kişi daha onu bekliyorlardı. Coşkuyla elini sıktılar, oturttular.

— Kusura bakmayın, doktor... Çok güç bir görevimiz var, geçireceğiniz acı dakikalarda sizinle birlikte olduğumuza inanmanızı rica ediyoruz...

O gün benzi solgundu, bu da çok uygun düşüyordu.

— Karınız bulundu... Şey demek istiyorum... Bayan Kupérus'ün cesedi, bir de...

Belediye başkanı gözlerini başka yana çevirdi, Kupérus öylesine sert, öylesine büyük bir acıya kahramanca dayanıyormuş gibi görünüyordu. Kupérus, ister istemez, Karl'ı düşünmekteydi.

— Şeyi rica etmek zorundayız, bizimle birlikte gelmenizi ve...

Buzların eridiği günlerdi. Bir otomobile bindiler, belediye başkanının otomobiline, Schutter'in bungalovuna doğru gittiler. Ama yolun bozukluğu yüzünden, arabayı çok önceden bırakmak zorunda kaldılar. O zaman kanalın üzerinde iki kayık gördüler, yamaçta, küçük bir arabanın yanında da insanlar toplanmıştı.

Yolun ötesine doğru giderken, belediye başkanı sevgiyle Kupérus'ün kolundan tutuyor, mırıldanıyordu:

— Cesur olun, dostum... Ne yazık ki cesedi görmeniz gerekiyor...

Soluk gökyüzünde bir tek güneş oyuğu vardı. Daha soğuktu. Erimiş karların içinde bata çıka gidiyorlardı. Kasketli denizciler açıldı, Kupérus, arabanın üzerinde, bir insan bedeninin biçimini almış bir muşamba parçası gördü.

Biri hâlâ elini sıkıyordu, Moers, hükümet doktoru, tanırdı onu.

— Formaliteden başka bir şey değil... Ne yazık ki hiç kuşku yok...

Muşambayı kaldırdılar. Baktı. Sarsılmadı.

İki kişi bayılır diye tutuyordu.

— Sevgili meslektaşım, izniniz olursa iki çift söz söyleyeceğim size.

Şurda burada küçük topluluklar. Kupérus kanalın ucunda bir tarak dubası sürüklediklerini gördü.

— Karınız öldürülmüş... Kanala atılmadan önce, göğsüne bir tabanca kurşunu gelmiş...

Neel ne diyecekti? Ya sabahleyin Bayan Kupérus'ten söz ederken öylesine tuhaf bir tavır takınan Karl?..

Şimdi de polis müdürü kenara çekiyordu onu. Herkes arkalarından bakıyordu.

— Hemen bitirmek daha iyi, değil mi? Erkeksiniz, bundan önce de büyük bir soğukkanlılık gösterdiniz. Sizi kutlarım. Bundan sonra söyleyeceğim de çok acı... Az sonra ikinci bir ceset bulmamız çok olanaklı. Adını söylememe kızmayın... Üzerinde Schutter'in adının ilk harfleri bulunan bir şapka tutmuş biri kanaldan... Kaybolmaların üst üste geldiğini anımsarsınız... Şimdi kanalın bu bölümünü niçin taradığımızı anlıyorsunuz...

Kupérus'ün bir diyeceği yoktu. Sessizliği, kımıltısızlığı için minnet duyuyorlardı ona. Hep sağlam duruyordu.

— O zaman bu işin, böyle durumlarda bazı bazı görüldüğü gibi bir çift intihar mı, yoksa bir cinayet mi olduğunu araştıracağız... Evinize dönmek ister miydiniz?

— Araştırmaların sonuna kadar kalacağım...

Kaldı da. Meraklılar gözlerini üzerine dikerken, tek başına dolaştı. Üzerinde kadının cesedi bulunan, küçük arabanın önünden yüz kez geçti belki.

Hiçbir şey düşünmüyordu, çok fazla şey düşünüyordu daha doğrusu. Örneğin, Alice'le tartışmalarını, Alice onun çocuk yapamadığını ileri sürerdi.

Neredeyse gülümsedi bunu düşününce. Neel'den bir çocuğu olursa?..

Denizcilerin sesini duyuyordu, saat ikide de bir dalgıç geldi, bir yardımcı pompayı işletirken, bakır topu vidaladı.

Bir fotoğrafçı, Amsterdam'ın bir resimli gazetesi için resim çekti. Kupérus'ün fotoğraf büyüttürdüğü fotoğrafçıydı bu.

Araştırmacılara gelince, Schutter'in bungalovunu iyice gözden geçirdikten sonra, tartışa tartışa döndüler. Biri eve üç kişinin

girdiğini söylüyordu. Ötekiler çiftin izlerinden başka iz bulamıyorlardı.

Kupérus yaklaşmalarını izliyordu, bilinmedik bir kimseye otopsi yapmaya çağrılmış gibi soğuktu.

İşin en tuhaf yanı, belediye başkanının, şoförüyle sandviç ve bir termos dolusu çay yollamasıydı.

* * *

Gizem birdenbire, görünürde hiçbir neden yokken başladı, bir sonbahar sisi gibi iniverdi daha doğrusu, kısa zamanda biçimleri bozdu, insanları ezdi, eşyaların biçimini değiştiriverdi, iç yaşamla ilişkili her şeyi yanlışlığa sürükledi, Kupérus'ü kuşatıverdi.

Saat belki altıydı. Kupérus çok yorgundu, çünkü sabahtan akşama kadar suyun kıyısında, ayakta kalmıştı. Kanalı izliyordu, ama o kanalı, kırdakini, çevresi otlarla çevrili olanı değil, sokağının kanalını, yontma taşlarla çevrili kanalı.

Buzlar eriyordu, saçaklardan ağır damlalar düşüyor, kaldırımın üzerinde koyu çizgiler çiziyorlardı. Sokak fenerleri gene kanalın kara suyunda göz kırpmaya başlamıştı.

Kupérus yürüyordu, evine geliyordu. Evinin fazla fazla üç ev uzağında olan bakkal dükkânının önüne gelmişti, çay paketleriyle, çikolata paketleriyle, kırmızı bir kurdeleyle bağlanıp demetlenmiş buğday sapları gibi dikilmiş, uzun makarnalarla dolu vitrini aydınlıktı.

Vitrinin dibi, bakkalın dışarıyı görmesine engel olacak kadar yüksekte değildi. Dükkânda üç kişi vardı. Bakkal işaret edince üçü de, geçişini izlemek için yüzlerini camlı kapıya yapıştırdılar.

Anahtarı yanındaydı. Anahtarı kilide sokarken, o soru ilk kez aklına geldi:

— *Ne düşünüyorlar?*

Evet, kendisini gözetleyen üç kadın ne düşünüyordu? Şimdi, ak mermerden tezgâhın önünde, istediklerinin getirilmesini beklerken, ne düşünüyorlardı?

Kapıyı kapattı, kaşlarını çattı, çünkü koridorun lambası yanmamıştı. Bir şey değildi bu, bir düğmeye basmak yeterdi, ama ekşi bir yüzle karşılanmasına engel değildi bu.

On altı yıldır oturuyordu bu evde. Beyaz taştan üç basamağı çıktı, camlı kapıyı itti, yanında sahte bir Delft şemsiyeliği bulunan askının önünde durdu.

— Neel!.. diye seslendi.

Sokaktayken üç kadının davranışında suratını buruşturuşu, şimdi belirsiz bir kaygıya dönüşüyordu. Ev ona boş, her şeyden çok da cansız gibi geliyordu. Alt katta iki oda vardı, salonla yemek odası, merdivenin ardında da mutfakla çamaşırlık. Bir de duvarları kireçle sıvalı, taş döşemeli küçük avlu.

Muayene odasıyla bekleme odası yer katının üstündeydi, merdivenin kırmızı halısının üstünde, ta buraya kadar bir ince şak vardı, çünkü hastalar ayaklarını silme çabasına katlanmazlardı pek.

— Neel!..

Mutfakta ışık yoktu. Oysa Neel öğleden sonra dolaşmasından hoşlanmadığını bilmez değildi. Salona girdi, ışığı yaktı, nerede oturacağını bilmiyordu, ayakta durdu, aynada çatık kaşlarına baktı. En sonunda, ta yukarıda bir gürültü oldu, bir kapı kapandı. Ayak sesleri...

Neel içeriye girdi, yüzü biraz kızarmıştı. Doktora duralayarak baktı.

— Demek hanım ölmüş... dedi.

Başıyla, üzgün üzgün, "evet" diye işaret etti. Bir yandan da az önceki soruyu düşünerek onu inceliyordu.

Neel ne düşünüyordu acaba?

— Neredeydin?

— Odamda... Karl'a bir fincan çay götürmüştüm...

— Bunu da konuştunuz değil mi?

"Hayır" demedi Neel, durumu komşu kadınlardan ya da alışveriş yaptığı kimselerden öğrenmişti. Karl'la da oturmuş, tartışmışlardı! Bir deneye girmeyi düşündü; ona doğru yürüdü, ne yapmak istediği anlaşılmıyordu.

Neel de her zamanki gibi baktı, şaşmadı. Kendisini okşattırdı.

— Bunu nasıl düşünebiliyorsunuz? dedi yalnız.

Ama gerilememişti. Korkmamıştı. O dokununca titrememişti.

Asıl sorun, sakinliğinin bir şey gösterip göstermeyeceği, Neel'in de onu katil sanarak herhangi bir duygusunu ortaya koyup koymayacağıydı.

— Yemeğimi hazırla...

Girdiğinden daha neşeli çıkıyordu hiç kuşkusuz. Ama bir şey belirtmezdi bu, çünkü her zaman böyleydi.

Nereden bileceksin? Sonra bütün ötekiler...

Schutter'in cesedini günbatımından az önce bulmuşlardı. Bir müfettiş, cüzdanının cebinde olmadığını fark etmişti. Bir kovuşturma başlamıştı.

* * *

Ertesi gün, kendini bir hasta üzerinde denedi. Hasta şişman bir kadındı, peynir satardı, uru vardı. Ona kapıyı açmadan önce, takınabildiği tüm sertliği takındı yüzüne. Sert davranıyordu, kısa kısa, aşağı yukarı kabaca şeyler söyledi...

Kadını derinden derine inceliyor, durmadan da kendi kendine soruyordu:

— Korkuyor mu?

Korkmuyordu! Şaşırmıştı! Bir şey anlayamıyordu, belki doktorun da hasta olduğunu düşünüyordu.

— Yarın hastalara bakmayacağım, öbür gün de, dedi, cenaze işleri yüzünden...

— Ya! Birini mi yitirdiniz?

Haberi bile yoktu!

Ama deneyine ötekiler üzerinde, yeniden başlıyordu. İnsanları etkilemek için yürüyüşünü daha çok sertleştiriyordu. Gözlerini birdenbire gözbebeklerine dikiyor, gözbebeklerinde gizli bir duygu yakalamak istiyordu.

Amsterdam'dan kayınbirader, Leeuwarden'den teyze geldi, iki akraba daha geldi, biri kırmızı burunlu, zayıf bir genç adamdı, babası öldüğü için daha önceden yas tutmaya başlamıştı, öyle nezleliydi ki durmadan ağlar gibiydi.

Kupérus yargıcın, dostu Antoine Groven'in yanına gitmek zorunda kaldı. O da kendisini çok iyi karşıladı, özür üstüne özür diledi, hiç önemsemeden birkaç soru sordu.

— Otopsi bitti, cenazeyi geciktirmek için bir neden kalmadı...

Kupérus kara kumaştan bir takım ısmarladı, şapkasına bir yas krepi koydurttu. Döşemeciler geldiler, salonu yaslı bir yere dönüştürdüler. En sonunda tabutu da getirdiler, şamdanları yaktılar, bütün yaslar gibi bir yas oldu bu da. Giriş kapısının ziline bir kumaş sarmışlardı, insanlar girip çıksın diye kapı bütün gün açık bırakıldı.

Amsterdam'dan gelen kayınbirader evde kalıyordu. Teyze balıkhanesine dönmüştü, ama cenazeye gelecekti.

Alice Kupérus Amsterdam'lıydı, Katolik'ti, ayin yapılması söylendi.

Neel'e gelince, açık açık söylemişti:

— Hayır! hanım burada oldukça istemiyorum...

O da Neel'in gözlerine bakmıştı:

— Bir koşulla, yukarıda da yatmayacaksın! demişti.

Kıskanıyordu! Gidip Karl'la yatacağını düşündü mü deli oluyordu! Birinci katta üç oda vardı, bunlardan birinde yatmak zorunda bıraktı onu, geceleyin de yatağından ayrılıp ayrılmadığını anlamak için iki kez kalktı.

Kayınbiraderi uyandı, kapısını araladı.

— Ne var?

Kupérus gecelikleydi, ayakları çıplaktı.

— Sen uyumuyor musun? diye sordu.

— Ama sen?

— Ben mi, hiç!

Bilerek yapmadan bilerek yapıyordu bunu. Tuhaflığını duymak, hepsinden çok da bu tuhaflığın insanlar üzerindeki etkisini incelemek gereksinimi gibi bir şey.

Kimileri onu suçlayacaktı, burası kesindi. Doğal olarak, bölge gazetesi, kaybolan cüzdan yüzünden, alçakça bir cinayetten söz ediyordu. Ama bunun bir tutku cinayeti de olabileceği nasıl düşünülmezdi?

Sorgu yargıcı savcıyla, polisle tartışmak zorunda kalmamış mıydı acaba? Kendisini gözaltında bulundurmuyorlar mıydı? Kendisine hiçbir şey söylemeseler de çevresini bir sürü sıkışık soruşturmalarla sarmıyorlar mıydı?

— Alışverişini yaparken kimseye rastlamadın mı? diye sordu Neel'e.

— Hayır. Ne demek istiyorsunuz?

— Hiç.

"Bir polis" demek istiyordu. Bu durumlarda her zaman yapıldığı gibi, Amsterdam'dan polisler getirtebilirlerdi. Kupérus'ün kuşkusunu çekmemek için de Neel'le sokakta ya da bir dükkânda konuşmak isteyebilirlerdi.

Alice'in kız kardeşi ancak cenaze günü geldi. Gebeydi. Tıpı tıpına ölüye benziyordu, yalnız beş yaş daha gençti. Kupérus onun çevresinde dönmekten bıkıp usanmadı. Bu kadın hiçbir şeyden kuşkulanmıyor muydu? Bu olanaksız görünüyordu, gene de üzerinde bir bulanıklık göremiyordu. Ailenin geleneğine göre, iki yanağından da öpmüştü.

— Kimin aklına gelirdi!.. diye kekeleyerek ağlamıştı.

Başka cenazelere benzemiyordu bu cenaze. Her zamanki sözler söylenmiyordu, yersiz kaçabilirdi. Kupérus'ün uzun uzun elini sıkıyorlardı da tek sözcük söylemiyorlardı.

Nasıl olur da:

— Zavallı kadıncağız!.. diyebilirlerdi.

Ya da:

— Ne acı yıkım!

Ya da:

— Öylesine genç!

Onu aldatmıştı! Herkes biliyordu ayıbını! Böyle bir şey Sneek'te ilk kez oluyordu, çocukların yanında tartışılmayacak bir şeydi. Alice'in kız kardeşi bile, yedi yaşındaki oğlunu getirmemişti, birtakım şeyler duymasından korkmuştu.

Papaz da bu yüzden, çok basit bir ayin yapılmasını istemişti, rahmet duasından başka bir şeye gerek görmemişti.

Çok kalabalık vardı, cenazenin ardında uzun bir kara giysiler ve şemsiyeler dizisi. Ama soğuk, gözleri kuru bir kalabalıktı bu, tiksintisini belli etmek zorunda olmakla birlikte görevini de yapan bir kalabalık.

Tüm eşikler meraklılarla doluydu, dimdik duran, gözlerini cenaze arabasına dikeceği yerde, insanların gözlerine bakan Kupérus'ün geçişini görmek istiyorlardı.

Çiçek yoktu elbet! Çelenk yoktu!

Ertesi gün de aynı insanlar Schutter'in cenazesinin ardından gittiler, fazla olarak iki yaslı kadın daha vardı aralarında, çok şıktılar, avukatlarıyla birlikte Amsterdam'dan gelmişlerdi. Schutter'in akrabalarıydılar.

Kupérus cenaze arabasının geçtiğini gördü, hiçbir şey anlamıyordu hâlâ. Akrabalarını istasyona götürdü, akşam da *Under den Linden*'in kapısını itti. Burada hiç beklenmiyordu.

Herkes sustu. Elleri sıktı, oturdu, Jef'e de:

— Bir ardıç rakısı getir bana, bitterli olsun, dedi.

Gene evdeki gibi oldu. On beş yıl, on altı yıl boyunca oturduğu ev, şimdi artık ona yabancı geliyordu. Ev artık yaşamıyordu. Bir eşyanın şurada ya da burada bulunması için hiçbir neden yoktu, en ufak bir değişiklik yapacakları sıralardaki tartışmaları, kararsızlıkları düşünerek omuz silkiyordu.

Under den Linden de öyle! Gene yıllardır bir köşesi vardı burada, piposu, bilardo sopası vardı, Yönetim Kurulu üyeleri listesinde adı vardı!

Alaylı bir sesle:

— Ne var ne yok? dedi.

Van Malderen içini çekti:

— Seçimi yapmak gerekecek.

— Ha! evet...

Gözleri listeye takıldı, bir düşünce geldi aklına.

— Başkanlığa adaylığını koyan kim?

Schutter'in yerini doldurmak söz konusuydu!

— Resmî bir adaylık yok daha... Belki de Pijpekamp...

— Üst üste bir elli sayı bile yapamaz, dedi Kupérus.

— Ama her yıl bir para veriyor...

— Sanat yapıtları satıcısı da ondan!

— Başka kim seçilebilir ki?

Kadehindekini içti, başını kaldırdı, dudaklarını kuruladı.

— Peki, diye kekeledi o zaman, birbiri ardından herkese baktı, benim adaylığımı koymama kim engel olabilir?

Kımıldamayı göze alamadılar. Yalnız Loos, kahvenin patronu, başını önüne eğdi, Kupérus hemen atıldı:

— Bu ne demek, Loos? Adaylığım hoşunuza gitmiyor mu? Buna karşı söyleyecek bir şeyiniz mi var? Konuşun! Bilirsiniz, arkadan vuranları sevmem ben...

Titriyordu aşağı yukarı. En sonunda öğrenecekmiş gibi bir duygu vardı içinde.

— Öyle bir şey yok, dedi Loos, şaşırmıştı. Siz yastasınız da...

— Bilardo oynamamama engel olur mu?

— Tam tersine! dedi Van Malderen, belki de birazcık alay vardı sözlerinde, çünkü onun işi belli olmazdı. Tam tersine! Unutmak için bir şeyler yapmak gerek.

Adaylık konulmuştu! Yıllardır Schutter'in elinde bulunan başkanlık adaylığı!

Akşam, bunu Neel'e söylemek gereksinimini duydu.

— Bilardo Kulübü'ne başkan seçecekler beni...

Neel anlayamazdı, ama o gene de söylemişti!

* * *

İmzasız mektuba gelince, kimsecikler çıkmıyordu ortaya. Ama bunu biri yazmıştı! Hollanda'da bir yerde, hiç kuşkusuz kentte (o zaman posta damgasına bakmayı akıl etmemişti!) bilen biri vardı, bugün yarın sorgu yargıcına gidip söyleyebilirdi:

— Schutter'le Bayan Kupérus'ün katili...

Bunu niçin yapmıyordu?

Gelip kapıyı da çalabilirdi, beyaz taştan üç basamağı çıkabilir, salona ya da muayene odasına alınabilirdi. Doktora bakabilirdi, gülümseyerek. Fareyle oynayan bir kedi gibi eğlenebilirdi onunla.

— Baksanıza, doktor, bana lütfen bin florin verir misiniz?

Belki de iki bin ya da beş bin! Her aklına eseni isteyebilirdi, büyük odada yatmak, canı çekince Neel'le yatmak, tüm yemeklerini evde yemek isteyebilirdi...

Ama hiç kimse gelmiyordu! Daha doğrusu, hiç kimse böyle davranmıyordu. Ama bunun Neel ya da Van Malderen ya da başını önüne eğen Loos ya da Karl olmadığı nereden belliydi?

Onun da gribi geçmişti. Kupérus iki kez sormuştu hizmetçiye:

— İş buldu mu?

O da yalnız:

— Hayır! diye yanıtlamakla yetinmişti.

Sanki gerçekte iş bulmak söz konusu değildi.

Sonra birden evinde Karl'ın varlığını anlayabileceklerini düşündü. Ne diyecekti o zaman? Bu serseriyi hizmetçisinin sevgilisi olduğu için alıkoyduğunu mu söyleyecekti insanlara?

— Neel, onunla konuşmam gerek.

— Dışarıya çıktı... Ne zaman döneceğini bilmiyorum...

— Gitmesi zorunlu, Neel, hemen bugün gitmesi gerek.

Neel sözlerinin arkasını bekledi, arkadan bir öneri geleceğini umuyordu.

— Yüz florin vereceğim ona. Amsterdam'da, Rotterdam'da ya da başka bir yerde, Zuyderzée'nin öte yanında bir iş arayacak, hemen bulamazsa gene yardım edeceğim...

— Kendisine söylerim.

Karl'ın, "Olur" ya da "Olmaz" demesinin bir şey gösterip göstermeyeceğini düşünüyordu. Hayır! Bilmeye olanak yoktu. Akşam, Neel gelip haber verdi:

— On bir treniyle gitmek istiyor...

Kupérus gidip onu görüp görmemekte duraladı. Karşılaşmamayı daha uygun buldu, florinleri hizmetçiye verdi, sonra merdivende ayak sesleri işitti, sonra kapının kapandığını işitti.

— Neel!.. diye bağırdı trabzana dayanarak. Gel!..

Lambanın altında gözlerine baktı.

— Üzgün müsün?

— Biraz...

— Gerçekten seviyor muydun onu?

— Kim bilir?

— Seni seviyorsa niçin kabul etti?

— Gerekliydi!

— Soyun... Sevgilin olmasını istemiyorum artık, işitiyor musun?.. Yalnız ben!..

Sıcak bir duman çıkıyordu beynine, o zaman Neel'in biraz yavan etinden, en güçlü kucaklayışa bile duygusuz kalan gözlerinden başka hiçbir şey kalmıyordu dünyada...

— Benden nefret mi ediyorsun, Neel?

— Hayır.

— Neden?

— Bilmiyorum.

— Benden korkuyor musun?

— Korkmuyorum da!

Oysa canını acıtıp duruyordu! İlk günde olduğu gibi gene:

— Ne kadar da ateşliymişsiniz! diye içini çekebilirdi.

Bu griye çalan gözlerin üzerine eğiliyordu. Çok yakından bakıyordu, gözlerini ayırıyor, acıtıyordu. Bu gözlerin suyunu bulandırmak için ne diyeceğini bilemiyordu.

— Neel!..

— Efendim...

— Evde benimle yalnız yaşamaktan korkmuyor musun?

— Neden?

— Korkmuyor musun? diye üsteledi.

— Hayır...

— Neel!..

— Efendim...

— Hanımla Schutter'i benim öldürdüğümü söyleyenler var mı? Hep sıkıyordu onu.

— Yanıt ver!.. Yanıt vermekten korkma...

— Var.

— Ne diyorlar?

— Gerçeğin hiçbir zaman anlaşılamayacağını.

— Başka ne diyorlar?

— Bunun işinize zarar vereceğini...

— Başka?

— Hep bir tuhaf davrandığınızı...

O zaman kahkahayı koyverdi, koca bir kahkaha! Çünkü yanlıştı bu, baştan aşağı yanlıştı! İnsanlar budalaydı, kördü! Bütün yaşamı boyunca, tam tersine, ilk yaşamı, olaydan önceki yaşamı boyunca, en sıradan bir insan, olabildiğince başkalarına benzeyen bir Hollandalı, tüm taşra doktorları gibi bir doktor, tüm kocalar gibi bir koca olmuştu!

Tek korkusu dikkat çekmek, çok farklı bir şey yapmak olmuştu her zaman!

Evi tam olarak kendi durumundan, kendi sınıfından bir insanın evi değil miydi? Her biblo! Yemekler de, en küçük ayrıntılarına varıncaya kadar, bütün Hollanda burjuvalarının evlerindeki gibiydi.

Spitzberg gezisine gitmişti, çünkü o yıl bir doktorlar gezisi vardı, fiyat ucuzdu, geziye katılan üç yüz doktordan biri de kendisiydi...

Paris'e gitmişti ya bu da bir sergi nedeniyleydi, gene bir toplulukla gitmişti!

Gene de tutup tuhaf olduğunu söylemeye kalkıyorlardı! İnsanlar onun için böyle yargı veriyorlardı işte! Şimdi geçişini izleyen insanlar, en ufak titreyişlerini incelediği insanlar!

— Ya sen, Neel, sen ne düşünüyorsun?

— Düşünmüyorum.

— Hakkımda ne düşünüyorsun?

— Canımı acıtıyorsunuz!

— Yaşamın boyunca benimle kalır mıydın?

— Bilmem.

Neel'in kendisini bırakabileceğini düşündükçe ne diye ürperiyordu ki?

— Benimle kalasın istiyorum, işitiyor musun? İstediğin parayı veririm... Ama beni bırakmanı yasaklıyorum! Başka erkeklerle konuşmanı yasaklıyorum!

— Kasapla, zerzevatçıyla da konuşmayacak değilim ya!

— Budala!

Hiçbir zaman bilemiyordu! Neel burada, yanındaydı, eti etine değiyordu, gene dünyanın hiçbir gücü bu inatçı, bu parlak alnın ardındakini öğrenmesini sağlayamayacaktı!

— Bana bak, Neel!

— Durmadan size bakmamı istiyorsunuz...

— Çünkü eninde sonunda bir gün ne düşündüğünü bilmem gerek.

— Düşünmüyorum diyorum ya!

Uyudu, bitkindi, şiddetli bir baş ağrısıyla uyandı. Bıktırıcı bir ağrıydı, geçmek bilmiyordu. Çevresini saran gri renkten, bu boşluktan, içinde yaşamının havasız bir yerde bir alev gibi sönüp gittiği bu yaşam yokluğundan kurtulmak için ne yapacağını bilemiyordu.

Evet, buydu: her şeyden kopmuştu. İlgisiz bir dünyada kendi başına değişiyordu. Katılıktan, sağlamlıktan yoksun gibi eşyalara dokunuyor, insanlarla konuşuyordu, bu insanlar kendi yaşadığı dünyadan değildi.

Kahveye varıncaya dek! Adaylığı ilan edilmişti. Bilardo Kulübü'nün üyeleri hiçbir şey söylememişlerdi, hiç değilse kendi

önünde söylememişlerdi, bu denli dayattığına göre de Schutter'in yerine başkanlığa getirilmesine karar verilmişti.

Ama kutlamıyorlardı. Hiçbir sevinç göstermiyorlardı. Hiç kimse onunla oynamayı reddetmese bile, hiç kimsenin oynama önerisinde de bulunmadığını fark eder gibi oldu.

O bile bile hepsine çağrıda bulunuyordu, herkese ardıç rakısı ya da bira ısmarlıyordu, çünkü her şey gibi para da anlamını yitirmişti.

Para harcamanın ne önemi vardı onun için? Lina'ya neler olduğundan da söz etmediler ona, duyduğu konuşmalardan birtakım ipuçları çıkardı yalnızca.

Kimileri otel parasını Van Malderen'in verdiğini, bazıları Loos'un da avukata haber vermeden buna katıldığını söylüyorlardı.

Her neyse, cenaze ve bazı işler için Schutter'in mirasçıları geldiği zaman, Lina da ölü evine gitmişti. Mirasçılar oradaydı, Amsterdam'lı iki bayan. Bu iki bayanla Lina arasında bir tartışma geçmişti. Lina, Schutter'in yaşarken kendisine ayırdığı gelirin ana parasını istiyordu.

Ölü odasının yanındaki salonda gerçek bir savaşla bitmişti bu. Akraba bayanlardan birinin giysisi yırtılmıştı. Lina da hep Sneek'teydi –diyorlardı–, hep Sneek'te. Van Malderen koruyordu onu ya da Loos.

Ne var ki, sevgilisi (belki ikisi de?) kahvede görünmesini yasaklamıştı. Otelde oturmuyordu artık, yeni mahallede, döşeli bir odada kalıyordu.

Neden başkaları gibi Kupérus'e de anlatmamışlardı? Hepsinden nefret etmek üzereydi. Aynı zamanda da onları küçümsüyor, sert sert bakıyor, elini sıkmak zorunda bırakıyordu.

Hoş görünmemeye çalışıyor, onlar da bir şey söylemeyi göze alamıyorlardı.

Başkan seçildiği gün, kendisinden öncekinin adını anmayarak geleneğin dışına çıktı. Sonra bir düşünce geldi aklına:

— Umarım ki daha önemli bir seçimin başlangıcı olur bu seçim. İki yıl sonra Parlamento yenilenecek. Sneek'lilerden milletvekilliği isteyeceğimi şimdiden söyleyebilirim...

İnanmadan alkışladılar. Durmadan, bıkmadan yüzleri inceliyordu, en başta gözleri, giz vermek istemeyen gözleri.

Çünkü, ne olursa olsun, bu insanlar düşünüyorlardı! Kendi hakkında, olay hakkında bir görüşleri vardı! Kendisini bir katil sayıyorlar mıydı, saymıyorlar mıydı? Korkudan mı bir şey söyleyemiyorlardı?

En sonunda inanıyordu buna. Çağrılmamasına karşın iki kez yargıca gitti. Her iki gidişinde de "sen" diye konuştu adamla, sigara tabakasını uzattı, o da geri çevirmeyi göze alamadı. Groven:

— Soruşturma sürüyor, yeni bir şey yok... Hiç bitmemesi de olanaklı, dedi, başka bir şey demedi.

Kupérus, ilk kez tutuklanabileceğini düşündü. Tutuklanacak olursa ne yapardı?

Eskiden olsa, duralamadan yanıt verirdi. On yıl, yirmi yıl hapiste yatmaktansa bir kurşun sıkardı beynine!

Ama şimdi, hayır! Neden hapse girmeyecekti? Neden orada başka yerlerdekinden daha dertli olacaktı? Yalnız bir şey sıkacaktı canını: Neel şey ederse...

Yeter ki... Neden olmasın? Neel'in yatağını başka erkeklerle paylaşmasına, soluk gözleriyle bakacağı başka efendilerin yatağında yatmasına olanak vermektense, tutuklanmadan önce onu da öldürmeyi göze alabilirdi, iyice rahat olurdu o zaman.

Sokakta, işlerine giden insanlar arasında yürürken böyle şeyler düşündüğü oluyordu: başkaları gibi vitrinlerin önünde duruyor, nesnelere bakıyor, düşünmeyi sürdürüyordu.

Evet! Kolaydı, düşününce...

— Neel... diye seslendi kapıdan girince.

Neel, çamaşırlıktan, sabunlu ellerle geldi, o gün çamaşır günüydü de...

— Neel! Senin hakkında önemli bir karar aldım.

— Ne kararı?

— Söyleyemem sana... Ama bil ki sana ne denli bağlandığımı bugün anladım!

Hafiften omuz silkti, gene bir düşünce geçti aklından. Önce, düşünüyordu. Aklına eseni yapmıyor, düşlere dalmamaya çalışıyordu. Şimdi aklına geleni dışarı vuruyordu, en tuhaf düşünceleri bile, hatta en çok bunları...

— Çamaşır mı yıkıyorsun bugün? diye sordu.

— Evet...

— Son kez... Başka bir hizmetçi tutacağız...

— Ne diye?

— İşleri yapsın diye... Sen rahat edeceksin...

— Saçmalamayın... diye homurdandı Neel, çamaşırlığına döndü.

— İşlerin böyle düzeleceğini sanıyorsanız! dediğini duyar gibi oldu.

Bunda haklıydı. Böyle bir bağıntıyı açığa vurmasını bağışlamayacaklardı. Ama buna kulak bile asmıyordu. Her şeyi alaya alıyordu, yalnız bir şey bunun dışındaydı: insanların ne düşündüğünü bilmek...

Bunu başaramadığı için de...

Kışın sonu yaklaşıyordu, çocuklar yeniden sokakta oynamaya başlamışlardı. Doktorun evinden on metre ötede, havagazı lambasının altında, kaldırımda hafif bir eğim vardı, boy boy çocuklar bilye oynuyorlardı üzerinde.

Bir öğle sonu, Kupérus, çantası elinde, yas için ısmarladığı kara pardösü sırtında, evinden çıktı. Dalgındı, yani dolaşmasına nereden başlayacağını düşünüyordu, çocukları da görmüyordu.

Birdenbire:

— Dikkat!.. İşte!.. diye fısıldadıklarını duydu.

En yakınında bulunan, bilyelerin önünde diz çökmüş oğlan birdenbire kalktı, açıldı, duvara yapıştı. Kırmızı bir yün atkısı, alnında bir yara yeri vardı. Kupérus hemen gördü yara yerini.

Çünkü doktor birden durmuştu. Çocuklar da. Orada, büzülüp duruyorlardı, doktora bakıyorlardı. Yaşam bir an donup kalmış gibi, birkaç saniye sürdü bu.

En sonunda, kırmızı atkılı çocuk birdenbire korktu, tabana kuvvet kaçtı, arkadaşları da uzaklaşıyorlardı.

Neden korkmuşlardı? Niçin? Ne söylemişlerdi onlara?

Kupérus yeniden yürümeye başlıyor, ama dönmekten kendini alamıyordu, çocukların, arkasından bakan, yüzleri kızarmış dört beş veletin biraz ötede yeniden toplandığını görüyordu.

IV

Her şey hazırdı, Kupérus salonla yemek odasının arasında gidip geliyor, şöminenin üzerindeki aynaya bir göz atmadan da edemiyordu.

Yarım saat önce, Neel panjurları kapamıştı. Beetje de ona yardım etmişti. Beetje, on altı yaşında bir kızdı, yaşına göre iriydi, şaşıydı. Neel onu seçmişti, çalıştırıyordu. Doktor binde bir görüyordu, ama şimdi Neel hep temizdi, kara giysiliydi, önlüğü apaktı.

Yemek odasının çalarsaati (evlenmelerinden bir yıl sonra almışlardı onu, çünkü Kupérus her zaman bir çalarsaat arzulamıştı) beşi vurdu, doktor bir koltuğa oturdu, masanın üstündeki kutudan bir sigara almak için kalktı, konukları ağzında sigarayla karşılamanın doğru olmayacağını düşünerek duraladı.

Aynı dakikada alaylı alaylı gülümsedi, sigaranın ucunu ağzına aldı. Hay Allah! Bu miskinliklerin artık kendisine vız geldiğini az kaldı unutuyordu. Bayan Van Malderen kırılmış, kırılmamış, umurunda mıydı?

Ayrıca kırılmazdı da, sigara kokusuna alışkındı çünkü! Öyleyse, ne diye yıllar ve yıllar boyunca, konuklarını beklerken sigara içmekten vazgeçmişti?

Neden? Çünkü karısı... Ya! Sonra, hayır! Doğru değildi! Saygı kuralları konusunda o da karısı kadar dikkatliydi, şimdi bile ister istemez bunu kanıtlıyordu.

Yıllardan beri, her perşembe saat beşte, Van Malderen'leri ağırlarlardı, ayda bir kez de yemeğe alıkoyarlardı. Şu sorundan sonra, Kupérus hiç düşünmemişti bunu, ama birkaç gün önce *Under den Linden*'de Van Malderen ezilip büzülerek:

— Bana baksana, Hans!.. Karım çok üzgün, biliyor musun? demişti.

— Neden?

— Seni göremez oldu da ondan.

İşte bunun için geleceklerdi, Franz o yapmacıktan ciddi suratı, karısı da kızgın havaları, odanın her köşesini araştıran, küçücük gözleriyle...

Dümdüzdü, karaydı, Friesland'da bir örneği daha bulunamayacak türdendi. Üstelik ufacıktı, bir buçuk baş kısaydı kocasından!

Kupérus sobaya yaklaştı. Soba kocamandı, bakırdan süsleri vardı, öbür yanları koyu fayanstandı. Yanda duran, mantarı yarı yarıya şişenin içine girmiş Bourgogne şarabını yokladı.

Masanın üstünde iki tepsi, Bayan Kupérus'ün zamanındaki gibi, hazırdı: birinin içinde çay için gereken şeyler, bal, reçel sürülmüş, kızarmış ekmekler, ötekinde de büyük kristal bardaklarla sigara kutusu vardı...

Birdenbire, yaşamında ilk kez, Kupérus görülmedik bir şey yaptı, öyle ki gene aynaya bakmak gereksinimini duydu: bir bardak şarap doldurdu, soldaki koltuğa oturdu, ateşin önünde bacaklarını kovuşturup tek başına içmeye başladı! Bir yandan da sigara içiyordu! Dumanlar kırmızı ipekten abajura dolanıyordu! Odanın içinde şimdiden bu toplantılara özgü koku, Porto-Rico tütünü kokusuyla, ısınmış şarap kokusu karışımı başlıyordu.

Kapı çalındı. Neel'in gidip kapıyı açtığını, hizmetçi pardösüsünü alırken konuşan Franz'ın sesini, Jane Van Malderen'in tiz sesini duydu. Jane Van Malderen soruyordu:

— Erken gelmedik ya? Doktor muayenelerini bitirdi mi?

Sonra ayak sesleri... Kapının açılışı. Jane Van Malderen'in üzerine doğru koşuşu, burnuyla yanağına vurarak öpüşü...

— Zavallı Hans'çığım... Nasılsınız?..

Çok soğuk yanıtladı:

— Çok iyi!

İki adam el sıkışmakla yetindi. Jane, bu arada, çevresine bakıyor, haykırıyordu:

— Hiçbir şey değişmemiş burada! Bütün bunları yeniden görmek öyle tuhaf bir etki yapıyor ki üzerimde...

Gözleri iki tepsiye, tozsuz şömineye gitti.

— Bayağı iyi bakılıyorsunuz, ha? Öylesine güç, yalnız bir adam! Bilirim, Franz'ı üç gün bıraktım mı hizmetçiler bir şey yapmaz olur... Kısacası, Neel değişmiş, daha temiz, daha güzel olmuş gibime geliyor...

Van Malderen içini çekerek oturmuştu, çünkü karısının konuşmayı tek başına götüreceğini biliyordu.

— Çay için zili çalayım mı, Hans?

— Çalın!

— Siz de değişmişsiniz... Nasıl söyleyeyim? Sizde daha erkekçe bir şeyler var gibi geliyor bana... Yaşlandığınızı söylemişlerdi, ama ben sizi böyle daha iyi buluyorum...

Neel çayı getirdi, Kupérus ayaklarının ucunda yürüyerek eğlendi, nedensiz yere, sırf ona daha yakın olmak için.

— Teşekkür ederim, Neel'ciğim, dedi ona.

Bu içlidışlılığın Bayan Van Malderen'i sarsacağını biliyordu. Bu nedenle böyle yapıyordu. Kuşkular uyandırmak istiyordu. Neredeyse hizmetçinin sevgilisi olduğunu söylemeyi arzu ediyordu.

— Alice'in yokluğundan beri pek kendi kafasına gitmiyor mu? diye sordu Jane. Neel çıkar çıkmaz bunu sordu.

Önceden beklenebilecek bir güldürü oynadı hemen. Alice'in adını söyleyince kızardı, duraladı, sonra hemen ekledi:

— Bağışlayın, Hans'çığım!.. Böyle şeyleri anımsatmamalıydım size...

Ama şarabını yudumlayarak sakin sakin baktı ona. Salonda avize yanmamıştı, bu da bir alışkanlıktı, çevre daha içlidışlı olsun diye böyle yapılırdı. Yemek odasında kalırlardı, buranın sobası daha iyiydi, aralıktan öbür oda tatlı bir loşluk içinde görünürdü.

Jane içini çekti, burnunu sildi.

— Kim derdi ki son kez... Çok kederlisiniz herhalde, Hans!..

Kocası, kuşkusuz bir şeyler olacağını düşünür gibi içini çekti. Başını koltuğun arkalığına dayadı, havaya bakarak sigarasını tüttürüyordu.

— ... Çünkü çok içten bir yuvanız vardı... Vardı ya! Buradan her çıkışımızda, her bize gelişinizde Franz'a söylerdim... Üzücü olan tek şey çocuğunuzun olmamasıydı.

Kupérus ürpertmek istedi onu, sigarasının külüne bakarak:

— Daha zaman var! dedi.

— A! Hans...

— Ne var yani? Çocuk yapamayacak kadar yaşlı olduğumu mu sanıyorsunuz?

— Böyle konuşmayın... Hele burada!.. Alice'in portresi bize bakıyor...

Doğruydu! Küçük bir portreydi, ne düşünüyor, ne de görüyordu artık bu portreyi, orada olduğunu bilmeye öylesine alışmıştı! Başka yerden daha iyi olur düşüncesiyle Paris'te yaptırttığı bir portre. Bu sorun üzerinde tartışmışlardı. Kupérus, ilke bakımından, duygulara kapılmaya yanaşmıyor, Paris'in ününün şişirme, kentin pis, kadınlarının fazla boyalı olduklarını düşünüyordu...

— Sneek'te resmini çektirirsin, o kadar pahalı olmadığı gibi o kadar kötü de olmaz...

O Paris'i daha uygun bulmuştu. Portre bayağıydı. Orada, bir çerçevede, akajudan yuvarlak masanın üstünde, başka fotoğrafların yanında duruyordu.

Bayan Van Malderen'in mendili, burnundan gözlerine gidiyordu.

— Nasıl öğrendiniz, Hans?..

— Neyi nasıl öğrendim?

Sertçe bakıyordu ona, şimdi insanlara böyle bakmaktan hoşlanıyordu, korkutmak ister gibi bakıyordu.

— Biliyorsunuz...

— Ha! Evet, diye alay etti, çok sayın dostumuz Schutter'le beni aldattığını nasıl öğrendiğimi soruyorsunuz!

— Hans!

— Ne var?

— O öldü!

— E, sonra?

— Can verdi... Ben, Alice'i bilirim, o kadar suçlu olmadığından kuşkum yok. Kim bilir? Belki de ilk kez boyun eğiyordu.

— Sağlığına, Franz!.. Bu şarapta hafiften bir mantar tadı yok mu sence?

Bir süre konuşmadılar. Bayan Van Malderen uzun süre dayanamadı, çöreğine tereyağı sürmek için sessizlikten yararlandı; çörek ağzında çatırdadı.

Birdenbire kalktı. Ne yapacağı belli değildi, salonun köşesindeki bir koltuğa doğru atıldı, soluk mavi yünden bir yumakla geldi, yumağın üzerine örgü iğneleri sokulmuştu. İpliğin ucunda, on santimetrelik, kare bir örgü sarkıyordu.

— Bu nakışı önceki hafta ben öğretmiştim ona... diye haykırdı Jane, melekçe bir görünüşü olan bu gök rengi nesne elinde

oynadı. Kendine çok hafif bir küçük kazak örmesini söylemiştim, evde giymek için... Büyük soğuklar sırasındaydı... Üzerine geçiremedi...

— Geçirdi! Aynanın önünde...

Kupérus'ün sesiydi bu. Franz bile titredi, başı koltuğun arkalığından ayrıldı. Hafif bir ürperişle doktora baktı, Jane da haykırmaya başlamıştı:

— Korkunç bu, korkunç!

— Asıl çıkardıkları zaman korkunçtu... Düşünün bir kez, duba tarağının ağzı Schutter'i neredeyse ikiye bölmüştü... Yüzü baştan başa açılmıştı, pencere gibi...

— Susun, ne olur!

— Ben başlamadım.

— Size bir şey söyleyeyim mi, Hans?

— Siz bilirsiniz.

— Ben sizi iyi bilirim... On iki yıldır dostuz. Siz, Alice'le siz, bizim tek gerçek dostlarımızsınız. Fazla eğiliyorsunuz acınızın üstüne... Yadsımayın! Her gün geçişinizi görüyorum...

Gerçekten de, günün en güzel bölümlerini evinde, sokağın devinimini izlemekle geçirirdi.

— İnsanlar dönüp dönüp bakıyorlar, öylesine tuhaf bir görünüşünüz var... Kederinizi belli etmek istemediğiniz, içinizde mayalandığı anlaşılıyor... Geçen hafta da söylemedim mi sana, Franz?.. Ona öğüt vermek için gelmek istemiyor muydum?..

Kupérus kımıldamadan ona bakıyordu, Van Malderen'in huzuru biraz daha kaçmıştı.

— İçten olduğumu bilirsiniz, değil mi, Hans? Eh, gitmeniz gerektiğini söylemeye geldim işte....

Titredi, titreyecekti. Yüzünün çizgileri sertleşti. Dişleri sigaranın ucunu sıktı.

— Bir zaman yolculuk etmelisiniz... Güneye gidin ya da İsviçre'ye... ya da İtalyan müzelerini gezin... Gücünüz yeter, biliyorum... Başka şeyler düşünürsünüz...

Duraladı, bir yudum çay içti, devam edebilmek için örtüye baktı.

— Belki de bir kıza rastlarsınız, daha iyisi, size yaraşır, genç bir dula... Bunu size nasıl söyledim, Tanrı bilir, Alice'i öylesine severdim ki!.. Ama sizin yaşınızda, yaşam bitmiş sayılmaz...

— Hemen şimdi bir kimse yok mu elinizde? diye sordu, şakadan mı, yoksa ciddi mi konuştuğu anlaşılmadı.

— Burada kimseyi tanımıyorum... Ayrıca buralı olmaması, bilmemesi daha iyi olur...

Kupérus'ün gözleri yarı kapalıydı. Sıcaktı. Şarap yanaklara ateş veriyor, sobada alevlerin horuldayışı duyuluyordu, *Under den Linden*'deki gibi. Zaman zaman, sokaktan bir kamyon geçiyor ya da köprünün açılmasını isteyen bir vapurun düdüğü duyuluyordu.

Bir metre ötesinde Jane'ın hiç de düzenli olmayan yüzünü, zayıf boynunu görüyordu. Sonunda Van Malderen'i duyuyor, koltuktan dumanların yükselişini görüyordu. Bütün bunlar bulanıktı, istenerek gölgelendirilmişti. Evin lambaları donuk kumaşlarla perdelenmişti, bazan pembe, bazan mavi –odada olduğu gibi–, bazan sarı –salonda olduğu gibi– ışıklar veriyorlardı.

Koltuk donuktu, üzerinde gökkuşağının tüm renkleri birbirine girmişti, ama solgun, belirsizdi.

Her şey böyle!.. Bir an, değişmiş bir şeyler olduğunu unutuyordu, Alice'in Jane Van Malderen'in yanında oturduğunu, dizinin üstünde bir örgü, erkeklerin konuşmasını karıştırmamak için alçak sesle konuştuğunu düşleyebilirdi.

Franz'la tartışırken, karısının perdeli sesinin:

— Üç üstüne, bir tersine, iyi değil mi? diye mırıldandığını anımsıyordu örneğin.

Jane örgüyü elinden alır ve...

Ama bitmişti bu, canım! Şu ikisi de ne diye ona oyun oynamaya gelmişlerdi! Ne istiyorlardı? Yarım saat geçmemişti daha gelişlerinin üzerinden, hemen açığa vurmuşlardı içlerindekini: gitmesini sağlamak istiyorlardı!

Onu ortadan silmek! Kentten silmek, elbet! Franz hiçbir şey söylememişti, ama tatsız bir iş yapmak zorunda kalınca, bunu karısının omzuna yüklediğini herkes bilirdi. Ne var ki, kadın biraz hızlı gitmişti. Kupérus birdenbire içini çekti, kalktı, sigarasını tablaya attı, bir yenisini yaktı.

Tutumu değişmişti. Sertti. Saldırıya geçeceği seziliyordu, Jane kendisine çay doldurdu. Kupérus Alice'in önüne dikildi:

— Neler anlatıyorlar? diye sordu.

— Nasıl? Neden?

— Kentte benim hakkımda ne anlattıklarını soruyorum. Hiçbir şey söylemediklerine inandıramazsınız beni. Kuşku yok ki otuz yıldan beri ilk kez (o zaman iki küçük kızı öldürmüşlerdi!), ilk kez, diyorum, Sneek'te bu denli korkunç bir şey oluyor. Schutter, en zengin, en zarif, en sevimli adam, Doktor Kupérus'ün karısıyla birlikte öldürüldü!..

— Hans!..

— Konuşulamaz mı? Bağışlayın! Buna hakkı olan bir kişi var en azından, o da benim. Zavallı Kupérus'ün aldatıldığı anlaşılıyor...

— Şsst!..

— Aldatılmış dedim. Burada da, birinin bu sözcüğü söylemeye hakkı varsa... Şimdi söyleyin, insanlar neler anlatıyorlar?

Van Malderen koltuğunda kımıldadı; karısı çekine çekine konuşmaya başladı:

— Ne yapsınlar istiyorsunuz? Size acıyorlar...

— Doğru değil.

— Nasıl doğru değil?
— Gülünç bir adama hiçbir zaman acımazlar...
— Keder gülünç değildir.
— Ya kederli değilsem?
— Sinirlisiniz siz, Hans!.. Görüyorsunuz ya, haklıyım, gitmeniz, unutmaya çalışmanız gerek.
— Hayır!
— Neden?
— Gitmemi istiyorlar da ondan!..
— E, ne çıkar bundan?
— Ben de insanları kudurtmak istiyorum. Ne diyorlar? Karımla Schutter'in seviştiklerini bildiğimi mi sanıyorlar?
— A! dedi Jane.
— Yanıt verin!
— Hiç kimse böyle bir şey söylemedi.
Nereye varacağını biliyordu. Yokuşun üzerinde durabilirdi, ama bunu istemiyordu. Hep ayaktaydı; başı, masanın çevresi işlemeli örtüsünü aydınlatan pembe lambanın düzeyindeydi. Mavi yün yumağı da bu masanın üstündeydi. Alice alıp örgüsünü sürdürecekmiş gibi!
— Kimden kuşkulanıyorlar?
— Ne bileyim ben?
Van Malderen koltuğundan:
— Heyecanlanma, Jane, dedi.
— Öyleyse sen yanıt ver onun yerine.
— Kimsecikler bir şey bilmiyor. Ne anlatsınlar istiyorsun?
— Gerçekte bir şey bilmeyince anlatırlar... Ne diyorlar?
— Serserinin biri şey etmiştir diyorlar...
Sinirlerinden rahatsızdı. İyiden iyiye bitirmek isterdi.
Ama neyi bitirmek? Bu sıkıntıyı, bu sabırsızlığı, bu bir tür baş dönmesini, bu adsız rahatsızlığı.

— Ya ben?

— Ne olmuş sana?

— Ben de öldürebilirdim onları... Kimse bunu ileri sürmüyor mu?

— Hans!.. Susun!.. Susun, yoksa giderim!..

Jane mendilini gözlerine bastırıyordu. Gırtlağı inip inip kalkıyordu.

— Başka şeyler konuşalım... diye yalvardı. Bilseydim...

Kupérus sakin sakin sürdürdü konuşmasını:

— Benim kuşkum yok, insanlar benden kuşkulanıyorlar, bunu da söylüyorlar...

— Ne çıkar bundan, sana ne?

Kımıldamadı. Ötekiler hiçbir şey fark etmediler. Bu yanıt bir taş gibi oturdu yüreğine. Epey bir süre hiçbir şey söyleyemedi, sigarasını dudaklarına götüremedi.

— Evet, bir şey çıkmaz, dedi en sonunda.

Yalnız şimdi de Van Malderen saldırıya geçmişti, bu konukluğun gerçek nedeni yavaş yavaş anlaşılıyordu.

— Anlarsın, bulunduğun durumda, kulüpte seni başkan seçerek sevgimizi, güvenimizi kanıtlamak istedik...

Kupérus acımasızca yanıt verdi:

— Gerçekten de, adaylığımı koymuştum.

— Oybirliğiyle seçildin!

— Açık oylaydı da ondan; şimdi buna pişman olanlar bulunduğuna bahse girerim...

— Haksızsın... Durumumuzu güçleştiriyorsun... Umutsuz olduğunu, günün birinde de bunun kötü bir biçimde biteceğini duymuyor muyum sanıyorsun?.. Her gün inceliyorum seni, *Under den Linden*'de Jane geçişini görüyor... Dostların söylediklerini duyuyoruz...

— En sonunda geliyorsun konuya!

— Değil mi ki gerekli!

O da kalktı, ceketinin altında ellerini kavuşturdu.

— Sen de fark etmiş olmalısın, müşterilerinin azalışından...

Doğruydu. Bir ay içinde, Kupérus hastalarının yarısından fazlasını yitirmişti.

— Friesland'lıları benim kadar sen de bilirsin, hele Sneek'li-leri... Burada skandaldan çok korkarlar. İnsanlar, muayene olmak için bile olsa, şey yapmış bir kadının evine...

— Kocasını aldatmış bir kadın, söyleyebilirsin.

— Öyle işte... bir oğlun olsaydı, onun da çevresi boşalırdı, okulda...

— Benim çevrem de öyle boşalacak, değil mi?

— Seni hiç suçlu bulmuyorlar. Herkes acıyor sana...

— Benim de iplediğim yok... İşte!..

Tak! Umursamaz, neredeyse keyifli bir sesle söylemişti bu sözcükleri.

— Hiç kimseyi iplediğim yok ya! Bilardo Kulübü'nü de, hastalarımı da, dışarıda rastlayabileceğim genç dulları da...

Jane'ın soluğu kesiliyordu, kocasına şişeyi göstererek işaret ediyordu. Kupérus'ü sarhoş sanıyor olmalıydı.

— Bunu anlayamazsınız. Bakın! Bahse girerim ki, Jane buraya gelmeden önce tam bir saat uğraştı giyinmek için, hatta berbere bile gitti. Ne uyanıklık! Yıllardan beri alıştı da ondan, böylesi uygun düşer de ondan, uygun olmak gerek de ondan...

Kapıyı araladı, koridorun karanlığında bağırdı:

— Neel!.. Başka bir şişe daha getir bana, olur mu, canım?

Odaya girdi, karısının portresine baktı, sonra da eline aldı.

— Onun zamanında ikinci bir şişe daha boşaltmak hoş kaçmazdı. Düşünün bir kez! Ayyaş sayabilirlerdi bizi!.. Bir sürü budala!..

— Hans!

Bayan Van Malderen'in çatlak sesine öykündü:

— Hans!.. Hans!.. Hans'ın size pabuç bıraktığı yok, işitiyor musunuz? Kendisinden korkmaya başlayan Sneek'lileri hoşnut etmek için İsviçre'ye filan da gitmeyecek.

Durdu, söylediği sözcüğe kendisi de biraz şaşmıştı. Onlara baktı. Kımıldamıyorlardı. Neel yeni bir şişeyle geldi, o şişenin mantarını çıkarırken, Kupérus teklifsizce kalçalarını okşadı.

Kapıyı yeniden kapattı, elini alnına götürdü, konuklara doğru geldi.

— Ne diyorduk? Oturmak istemiyor musunuz artık?.. Ama gitme saati değil! Unutmayın ki gelenekler altı buçukta gitmenizi gerektirir, ayın ikinci perşembesinde olursa o başka, o zaman akşam yemeğine de kalabilirdiniz.

Jane kocasına döndü:

— Franz!.. Bir şey söyle!.. Sustur onu!.. Artık içirtme...

Kupérus bardağına şarap dolduruyordu, bu da doğrudan doğruya mahzenden çıkıyordu, buzluydu, birincisinden daha buruktu.

— Dinle, Hans. Aklını başına toplamaya çalış.

— Hayır!

Jane burnunu sile sile kızartmıştı, öylesine küçük bir burundu ki şimdi olmamış bir kirazı andırıyordu.

— Bugüne değin çok onurlu davrandın, herkes tutumunu beğendi.

— Teşekkürler!

— Biz gideceğiz... Düşün... Düşün ki bütün söylediklerimiz sana olan sevgimizden...

— Gene teşekkürler...

— Jane!

Van Malderen gitmeye hazır olup olmadığını sorarcasına karısına bakıyordu. Jane, "evet" diye işaret etti, kapıya doğru gitti, giderken durdu.

— Onu böyle bırakmak zor geliyor bana... Şey diye düşünüyorum...

— Uygunsuz bir şey yaparım diye mi? Merak etmeyin!.. Siz gidince, Neel'i çağırırım, ikimiz güzel güzel gevezelik ederiz, sonra gidip yatarız. Görüyorsunuz! Kesin haberi önce siz öğreniyorsunuz, ama mahallede konuşuluyordur.. Birkaç günden beri yemeğimizi de birlikte yiyoruz, böylesi daha keyifli oluyor... Sonra böylesine alıştım da...

— Gel, Franz!

Jane iyice şaşırmıştı. Mantosunu ters giyiyordu. Alice'in mantosunun modeli üzerine yaptırdığı mantosunu. Yalnız Bayan Kupérus'ün mantosu açık kahverengiydi, onunki mavimsi kül rengiydi.

Franz elini uzattı:

— Seni yarın görecek miyim? diye sordu.

— Yarın da, başka günlerde de... Bilardo Kulübü'nün başkanı değil miyim?.. Zorla istifa ettirirlerse, o başka...

— Aa!

— Gidin, yavrularım... Güzel güzel uyuyun... Daha doğrusu, iyi uyuyamayacağınızdan kuşkum yok. Güle güle, Jane'cağızım... Yarın, benim geçişimi izlemek için pencerenizden ayrılmayın sakın!

Kaldırımı, kanalın barbatasını, ağaçlar arasında gemilerin bağlandığı kazıkları, çatı tepeleri diş diş karşı evleri gördü. Kapıyı kapatınca bir zaman eli göğsünün üstünde, kımıldamadan durdu, o kadar korktuğu ağrılardan biri tutmuştu gene. Neredeyse bir meslektaşını çağıracaktı, bir kalp uzmanıydı, daha önce de görmüştü onu, korkulacak bir şey olmadığını söylemişti.

Camları renkli bir fenerle aydınlatılmış, ıssız bir koridorda yapayalnız olmak tuhaftı! Dipte, camlarının parlaklığı gitmiş, süt rengi mutfak kapısı görünüyordu. Bu kapının ardında bir gölge kımıldıyordu.

Merdivenin üzeri karanlıktı. Şemsiye askısının da bir öyküsü vardı! Gene bir tartışma! Alice bunu doğum gününde kocasına armağan etmişti, o da küplere binmişti, çünkü özel bir eşya değildi bu. O da karısına doğum günü için bir pipo ya da bir sigara kutusu armağan edeceğini söylemişti.

Ne kadar saçmaydı! Ne kadar uzaktı bu! Giysi askısını aldıkları günkü gibi... Alice, meşe olsun istiyordu, o da bambuyu daha uygun buluyordu... Alice bambunun yoksul göstereceğini ileri sürüyordu...

Meşeden almışlardı, askıları bronzdu, ortasında bir aynası vardı... Giysi askısı Versma'dan, alanın köşesindeki büyük mağazadan gelmişti...

Kupérus, düşüncede, Van Malderen'leri izleyebiliyordu. Gözlerinin önüne getiriyordu onları, Jane her zamanki gibi kocasının koluna asılıyor, Van Malderen hızlı yürüdüğü için soluğu kesiliyor, ikisi de kendi durumunu tartışıyordu.

Sonra evlerine, kentin en cicili bicili evlerinden biri olan yeni evlerine varışları... Potinlerini çıkarınca Jane'ın şöyle rahat bir iç çekişi, ayakları çok duyarlıydı haspanın...

Bir karabasan gibiydi... Sızı geçiyordu... Kupérus mutfağa kadar yürüyor, kapıyı açıyordu, küçük Beetje'yi ütü yaparken, Neel'i de ince ince dilimlerle peynir keserken buluyordu.

— Ne yemek istiyorsunuz?

— Ne istersen onu... Çabuk hazırla sofrayı...

Birdenbire yoruluvermişti. Kulüp başkanlığını elinden almayı göze alıp alamayacaklarını düşünüyordu. Çok önemliydi bu. Söz konusu olan bilardo değildi, ama bu kulüp bir bakıma kentin en seçkin yeriydi, bütün önemli kişileri bir araya getiren ortamdı. Loos'un kahvesi de başka kahveler gibi bir kahve değildi; daha doğrusu, neredeyse özel bir lokaldi, içeriye giren ender yabancılara şaşkınlıkla, ayıplarcasına bakarlardı.

Çekilmesini isterlerse, ondan kuşkulanıyorlar demekti. Hatta bunu açıktan açığa kabul ediyorlar demekti...

Öyleyse, Van Malderen'e bir çare bulmasını söylemişlerdi... Franz da karısına anlatmıştı... Karısı bu konukluğu düzenlemişti... Bu ülke dışına yolculuk öyküsüyle genç bir dulla evlenme öyküsünü de.

Neel'in sofra örtüsüyle içeriye girdiği sırada, elinde karısının portresini tuttuğunu fark etti. Yuvarlak masanın üstüne koydu hemen, ama hizmetçi görmüştü yaptığını.

— Bütün resimleri kaldırmalıyız, dedi.

Neel de yanıt verdi:

— İyi olmaz!

Neden, bilmiyordu. Hep aynı şeydi. Bir ölünün resimlerini kaldırmak "uygun" düşmezdi, çünkü...

Ona bakarak omuz silkti, Jane'ın onu değişmiş bulmasına aklı yattı. Neel daha çok bakıyordu kendisine, daha dikkatli giyinip taranıyordu, biraz parlak olan derisinin üzerinde pudra izleri görür gibi oldu.

Birlikte yemek yediklerini söylerken yalan söylememişti. Birkaç gün önce, Neel yanında ayakta dururken karar vermişti buna, oturmasını söylemişti.

— Cesaret edemiyorum... diye yanıtlamıştı Neel.

— Neden?

— Böyle şey olmaz da ondan!

— Hemen oturacaksın, işitiyor musun? Benimle birlikte yiyeceksin...

Dişlerinin ucuyla, birkaç lokma almıştı ancak, ama ilke bundan böyle benimsenmişti. Beetje'ye gelince, ona aldırdıkları yoktu. Tam tersine!

Kupérus akşam mutfağa girerek:

— Yatmaya gelmeyecek misin, Neel?.. İyi geceler, Beetje... demekten hoşlanıyordu.

Beetje anlamıyor gibiydi. Ya da buna aldırdığı yoktu. Günde on iki, on dört saat çalışıyordu, alnı işten kalkmıyordu, belki de hiçbir düşünce geçmiyordu kafasının içinden.

— Şarabı kaldır. Yarın içeceğim...

Yarım şişe kalmıştı, istemeye istemeye, çekmeceden tıpayı çıkardı, açılmış şişeleri kaldırmakta kullandıkları gümüş başlı, özel tıpayı. Tıpa da kataloğa bakarak La Haye'den getirttikleri takımdandı, iki yıldan sonra, ince gümüş tabakanın altında bakırı görünmeye başlamıştı.

Van Malderen'in oturduğu koltuğa bıraktı kendini:

— Yorgunum, Neel, diye içini çekti.

Sigara ve şarap kokusu sürüyordu.

— Aç değilim...

— Biraz yemek gerek... Boş mideyle yatmak iyi değildir...

Karısının sözü de, Van Malderen'in sözü de olabilirdi pekâlâ...

— Elektrik için geldiler, dedi Neel... Parasını verdim... Ve her şey yerli yerindeydi, umutsuzca!

V

Neel iyice uyanamamış, ateş yakmaya zaman bulamamış, kahveyi gaz ocağında ısıtmakla yetinmişti. Kupérus yarı uykuda, soğuk suyla tıraş olmuştu. Aşağıya indiği zaman, küçük Beetje de mutfağa geliyordu, üstünü başını düzeltmemişti, terliğinin içinde ayakları çıplaktı, geceliğinin üzerine bir önlük geçirmişti.

— Burada ver kahvaltımı, demişti Neel'e.

Masanın bir köşesine yerleşmişti, iki kız da sırtlarını en sonunda yaktıkları ateşe vermişlerdi, dalgın dalgın ona bakıyorlardı. Sabahın altısıydı. Mart ayıydı, havalar soğuktu daha.

— Paltonuzu alacak mısınız? diye sordu Neel.

— Alacağım herhalde.

Sokaklar boş ve karanlıktı. Kupérus, küçük bavulu elinde, hızlı hızlı gara gidiyordu, ayaklarının yankısını duyuyordu yalnız. Sonra başka yerlerde, aynı amaca doğru giden başka ayak sesleri duyuldu. Gökyüzü solgunlaşmaya başlıyordu. Gar aydınlatılmıştı.

Birden, o olaydan sonra ilk kez trene bindiğini düşündü. Geçen ay, Biyoloji Birliği'ndeki toplantıyı düşünmemişti, istasyona gelmek için de hiç fırsat çıkmamıştı.

Issızdı, çıplaktı. Memuru çağırmak için gişeye vurdu, memur gevşek bir sesle:

— Amsterdam'a birinci mevki mi? diye sordu.

Ama sonra? Bileti elinde, turnikeden geçmesi gerekiyordu, turnikede de bir memur duruyordu. Kupérus bu memurun belki de bir şeyler bildiğini düşünmüştü. Bunu düşünmemişti, ama şimdi aklına geliyordu. Adama doğru ilerliyordu, oldukça zayıf, sarışın bir adamdı, dişleri bozuktu, adamın gözlerinin içine bakıyordu.

Memur o ünlü gecede Kupérus'ün biletini vermediğini, hatta Sneek garında inmediğini anımsıyor muydu acaba?

Bakışlarının altında, biraz şaşkın, mavi gözler, kırışan bir alın buluyordu. Bir anımsama çabasının etkisiyle mi acaba?

Kupérus gri bileti uzattı:

— Amsterdam, birinci mevki, dedi...

— Pekâlâ, doktor bey...

Sonuç çıkarılamayacak kadar kısa sürdü durum, ama adam hep şaşkın görünmüştü, alın da kırışıktı.

Kupérus her zamanki vagonunda yerine geçti, burada yalnız olacağından kuşkusu yoktu. Tren kalktığı zaman, bir değirmenin kanatlarının tam ardında bir güneş çizgisi belirdi, bir kartpostalda ya da bir turizm afişindeki gibi.

Kupérus gene memura bakmak için eğildi, memur da orada, rıhtımın üstünde, kendisine bakıyordu.

Bütün sorun ne yapacağını bilmekteydi. Kupérus'ün o akşam önünden geçmediğini anımsıyor muydu, anımsamıyor muydu? Bir kuşkusu varsa, herhalde bir yerde saklanması gereken dönüş biletlerini arayabilirdi.

Gidip yargıca söyler miydi o zaman? Stavoren memuru, Kupérus'ün bindiğini görmüştü. Ne Workum'da, ne de Hindeloopen'de indiği de biliniyordu...

Nelere bağlıydı şimdi yaşamı: bir istasyon memurunun kafasında dalgalanan, bulanık görüntülere...

Bu adam konuşursa, Kupérus'ün yolda indiği anlaşılırdı. Yolda indiği anlaşılınca da...

* * *

"Patrona söyle de mangır yollasın. Meteliksizim."

Karl'ın Neel'e yazdığı mektubun son tümcesiydi bu. Başka hiçbir şey yok bu konuda. Tehdit yok. Açık bir şey yok. Karl "meteliksizdi", para istiyordu, işte o kadar. Kupérus'te adresi vardı, Amsterdam'da onu görmeye gitmeye karar vermişti.

Sabahın sekizinde, tren Stavoren'e gelince, beyaz vapur rıhtımda bekliyordu, güneş şimdiden yükselmişti, palto Kupérus'e ağır geliyordu. Zuyderzée'ye gelince, solgun bir mavilikteydi, ipek gibi dalgaları vardı, otuz dolayında balıkçı kayığının yelkenleri dikilmişti üzerine.

Her şey her zamanki gibiydi: düdük çalan tren, vapurun çanı, salona inip çay isteyen yolcular. Ötekiler gibi Kupérus de indi, tanıdık bir kimse görmedi. Garson bir başka türlü bakıyormuş gibi geliyordu ona, gidip güverteye oturmayı daha uygun buldu, bavulunu yanına koydu, ellerini cebine soktu, gözlerini önce Stavoren'in yavaş yavaş uzaklaşan çan kulesine, çeyrek saat sonra da güneşin içinde beliren Enkhuizen kentine dikti.

Belli olmazdı, Sneek'li memur, doktorun kendisine bakışına şaşmıştı belki? Belki de gazetelerin söz ettiği bir adamı böylesine yakından görmenin etkisi altında kalmıştı?

Kupérus her zamanki gibi baldızının evinde yatmaya gitmeyecekti. *Ritz*'e inecekti. Yıllardan beri, bu otelin döner kapısına bakar, içine girmek isterdi. İçinde bir başka çevre, bagajları bütün dünya palaslarının etiketini taşıyan insanlar bulunduğu anlaşılır-

dı, kaldırımın kıyısında da, çoğu zaman havayolları şirketinin bir otobüsü dururdu.

Şimdi hiçbir şey *Ritz*'e gitmesine engel değildi, ne de Paris'e, Londra'ya, Berlin'e gitmek için uçağa binmesine...

Gene de her zamanki alışkanlıklara uyuyordu, *vergunnig*'de ardıç rakısını içmeye gidiyordu, bu da ona ilk günü anımsatıyordu.

Ritz, sokağın ucunda, tabancayı satın aldığı dükkânın yanındaydı. İşte şimdi sabah kalabalığının, güneş ışıklarının içinde, büyük kentin bin bir gürültüsü arasında yürürken, öteki sabahta, büyük günün sabahında neler düşündüğünü anımsamaya çalışıyordu.

Gene böyle, çantası koltuğunun altında, yürüyordu. Ama ne düşünüyordu? Her şeyi kararlaştırmıştı. Ne yapacağını biliyordu. Ama neden?

Tuhaftı: o zamanki duygularını bir türlü aklına getiremiyordu.

O kadar kıskanç değildi: kanıtı da o zamandan beri karısını doğru dürüst düşünmediğiydi.

Ritz'in yüz metre ötesindeydi, bir gerçek kendini belli etmeye başlıyordu, istemeye istemeye benimsedi bu gerçeği: aslına bakarsan, karısı değildi öldürdüğü, Schutter'di!

Nedenlerine gelince... Hayır! Artık bunu düşünmemek gerekirdi. Başka bir şey, herhangi bir şey yapmak daha iyiydi...

— İyi bir oda, lütfen...

— Banyolu mu?

— Banyolu, elbette!

— On florin... 246 numara...

Bavulunu elinden aldılar, saat ikiye kadar yapacak hiçbir şeyi olmadığını fark etti. İngilizler, holün koltuklarına oturmuşlar, gazetelerini okuyorlardı. Genç bir kadın, hiç kuşkusuz bir oyuncu, basık burunlu bir küçük köpekle oynuyordu. Kupérus gidip Karl'ı görmeye karar verdi.

* * *

Büyük sokakta, kırmızı tuğlalardan yapılmış kocaman yapıya geldi, bu yapının çevresinde her zaman yüzlerce kasketli denizci dururdu, çünkü gemiler burada kiralanırdı.

Karl'ın sokağı tam arkadaydı, dar ve pis bir sokaktı, Amsterdam'ın ender görülen kirli sokaklarından biriydi, Çinli dükkânları, eskici dükkânları, içlerinde sarı sarı üç dört sigara paketi duran, garip vitrinler vardı. Bu vitrinler başka bir ticaretin paravanlarıdır. Kupérus iki kez başını çevirmek zorunda kaldı, çünkü bakışlar ve deviniler onu çağırıyordu.

Karl'ın numarası bir berberin numarasıyla birdi. Solda basık bir kapı, iyi aydınlatılmamış, korkuluksuz bir merdiven vardı. İlk katta, avluda oynayan çocuklar gördü, çocuklar ona yukarı katı gösterdiler.

— Girin!..

Kapıyı itti, kapalı değildi. Masasında yemek artıkları duran bir odada, Karl hâlâ yatıyordu, yanında da çarşafların altından kadın saçları çıkıyordu.

— O! Siz misiniz? dedi, elini yüzünün üstünden geçirdi.

Esnedi, doğruldu, yanındakini sarstı, o da inledi.

— Haydi, kalk... Dışarıda bir dolaş...

Bu sırada Kupérus neredeyse kıskanıyordu onu, yoksulluğunu, ilgisizliğini kıskanıyordu. Kadın yataktan çıktı. Zayıf, esmerdi, armut biçimi, küçük memeleri vardı, memelerinin başı tentürdiyot rengindeydi. Terliklerini aradı, kuşkuyla baktı, gömleğinin üzerine yeşil mantosunu geçirip dışarı çıktı. Karl, yatağın kıyısına oturmakla yetinmişti, bacakları çıplaktı. Bir güneş çizgisi vurdu yüzüne, derin çizgilerini daha da belirginleştirdi.

— Ne incelik bana para getirmeniz... Neel iyi mi?

— İyi, teşekkür ederim.

— Fazla paraya gereksinimim yok... Elli florin kadar bir şey, birkaç gün idare edecek kadar...

Karl başını, sonra ayaklarını kaşıyordu, güç uyanan insanlar gibi. Pencere dardı. Kadının giysileri yerde duruyordu, çamaşırları da öyle, çamaşırları pek temiz değildi.

Kupérus susuyordu, şaşkındı, duralıyordu, öteki de küçük, meraklı, alaycı gözleriyle kendisine bakıyordu.

— Tuhaf bir adamsınız! dedi birden.

— Neden?

— Hiç... Beni ilgilendirmeyen şeylere burnumu sokmak istemem...

Bildiğini mi gösterirdi bu? Yoksa neden böylesine güvenle para isteyecekti?

— Size bir soru sormak isterdim... dedi Kupérus en sonunda. Neden Almanya'dan ayrılmak zorunda kaldınız?

Karşısındakinin sakinliğine hayran kalıyordu, gözleri güneşte gülüyordu.

— Bir kaza... Önemli bir şey değil, inanın. Bir hizmetçiyi gözüme kestirmiştim, odasında saklı, birikmiş parası vardı biraz... Bir gün almak istedim bunları... Sesini çıkarmayacağından kuşkum yoktu. Ama hırsız var diye bağırmaya başladı, yatağın üstüne yıkmaya zor zaman buldum.

Kupérus, soluk soluğa, arkasını bekliyordu.

— ... Yüzüne bir yastık bastırdım... diye sürdürdü Karl.

Kalktı, suratı asıktı, diş fırçasını aramaya başladı.

— ... Epey bir zaman sıktım, çırpınması kesilinceye dek. Gittim... Ancak iki gün sonra, gazetelerden, öldüğünü öğrendim... Ne de olsa iyi bir kızdı, Neel gibi, bu kızlar her istediğinizi yerine getirir gibi görünürler, ama ne düşündükleri hiç belli olmaz...

Gittikçe daha çok asılıyordu suratı. Yüzünü ıslak bir havluyla silip pantolonunu geçirdikten sonra, Kupérus'e baktı, üstelemeden:

— Ya siz? dedi.

— Ne demek istiyorsunuz?

— Siz ne yaptınız?

— Ben mi?

Karl omuz silkti, sonra da:

— Canınız nasıl isterse, dedi... Her koyun kendi bacağından asılır, doğru değil mi? Sonra konuşup eğlenilecek keyifli şeyler değil bunlar... Neel benim için hiçbir şey söylemedi mi?

— Hayır...

— Mektup yazacak herhalde. O da ötekiler gibi yumuşak başlı görünüyor... Ama o da bağırırdı, öteki gibi, her bahse girerim...

Kapıyı açtı. Yeşil mantolu kadın göründü, son basamağın üzerine oturmuştu, kadını içeriye aldı.

— Gel!.. Bitti...

Sonra Kupérus'e döndü:

— Şimdi, nerede oturduğumu biliyorsunuz... Bir aylığına kiraladım odayı... Bana gereksiniminiz olursa...

Sonra da kadına döndü, on florinlik bir banknot uzattı:

— Sigara al bana...

Kupérus'ün canı gitmek istemiyordu. Bir şey tutuyordu onu, bulanık bir istek, daha fazla bakma, kendisi gibi adam öldürmüş bu adamı dinleme isteği...

— Neyiniz var?

— Hiç.

— Söylediğim şey mi karıştırdı kafanızı? Korkmayın! Böyle şeylere bir daha başlamak istemez insan...

Kupérus hâlâ kımıldamıyordu.

— Bana söyleyecek bir şeyiniz var, öyle değil mi? Görüyorsunuz, benim size bir şey sorduğum yok... Siz duralıyorsunuz.

— Hayır! Gidiyorum.

Gerekliydi bu! Şarttı, yoksa, bir dakika içinde, bu adama her şeyi anlatmaktan kendini alamayacaktı!

— Güle güle, doktor... Size gene gereksinimim olursa yazarım... Karşılığını ödemek üzere...

İşin en tuhafı, bundan sonra gene büyük sokakta, gidip gelen normal insanlar, bisikletler, tramvaylar, otomobiller, çökmeye yüz tutmuş pastacı vitrinleri, mankenleri etiketli hazır giyim dükkânları arasında bulunmaktı.

Bu konuşmadan açıkça bir anlam çıkıyordu, Karl hizmetçiyi istemeden, sırf yakalanmamak, ceza yememek için öldürmüştü.

Ya Kupérus? Bu çok daha açık olacaktı herkes için. Davranışını kıskançlığa bağlayacaklardı. Belki de bu nedenle acıyorlardı ona, bu nedenle kulübe başkan seçmişlerdi!

Ama bu doğru değildi... Kıskançlık değildi sorun. Karısına kızmıyordu! Daha kötüsü vardı: portreye bakalıberi, önünde bir tür hoşnutlukla, sık sık durduğu oluyordu, gök mavisi yumağı da iki kez okşamıştı.

Az kaldı bir kavgaya neden oluyordu bu, Neel bu yumağı bir yere koymak, belki de atmak istemişti, ama Kupérus'ün hiddetle girdiğini görünce şaşırıp kalmıştı.

— Bırak onu!.. İşitiyor musun?.. Burada hiçbir şeye dokunamazsın!..

Neden? Karl'a bakarsan o her şeye boş veriyordu, çulunun üstünde yaşıyor, her zaman işini görecek bir kadın buluyor, kurbanı hakkında da hiç kederlenmeden:

— Yazık! İyi bir kızcağızdı... diyordu.

* * *

Yemekten hiç tat alamadı. İlk kez yemek yiyordu *Ritz*'de. Çok kalabalıktı. Masada yalnız olduğu için bir gazete açtı, ama neredeyse hiç okumadı, ne yediğini de zor ayrımsadı.

Saat ikide toplantısına vardı, ama yüksek korent sütunlu, ak, mavi, geniş döşeme taşlı holde ilk adımlarını atar atmaz geldiğine pişman oldu.

Bu yalnızca bir duyguydu daha, ama kendinden geçmesine yetti: holü adımlayan bütün meslektaşları, rastlantı sonucuymuş gibi, ona sırtlarını çeviriyorlardı ya da göremeyecek oranda dalmışlardı.

Olayın ayrıntılarını gazetelerde okumuşlardı kuşkusuz, gazeteler resmini de basmıştı. Ama bu bir neden miydi?

En iyi tanıdıklarından birine, eski bir fakülte arkadaşına yaklaştı, elini uzattı. O da elini aldı, huzursuzca sordu:

— Nasılsın?

— Şöyle böyle...

— Yorgun görünüyorsun... Dinlenmeliydin...

— Evet... Ben de özür dilemek için geldim. Bir saat sonra bir randevum var...

— Toplantıda senin adına özür dilerim...

İlk kez kaçıyordu bir şeyden. Ama pek çoktular doğrusu, fazla görkemli bir çerçeve içindeydiler. Üstelik, hep Karl'ı düşünüyordu. En iyi yolu bulmamış mıydı o? İnsanlardan hiçbir şey istemiyordu! Köşesinde, aklınca yaşıyordu!

Kupérus, geçen seferki gibi, bir sinemada geçirdi öğle sonunu, filme alınmış bir operet gösteriliyordu. Bu filmde herkes özel giysiler giymiş, şarkı söyleyerek, vals ederek yaşıyordu.

Kupérus sokağa çıktığı zaman, karanlıktı, kalabalık fazlaydı, çünkü büro ve mağazaların kapanma sırasıydı.

Mutlu insanlar bunlar, aç olarak evlerine dönecekler, derin bir uyku uyuyacaklardı!

Neden anımsıyordu ilk çakısını? O zaman on bir yaşındaydı. Aylar ve aylar boyunca bir çakı arzulamıştı, ama hiçbir zaman çakıyı alacak kadar para bulamamıştı. Bir gün ders kitaplarından ikisini kitapçıya satmış, yitirdiğini söylemiş, gidip çakıyı almıştı.

Ama resmen sahip değildi ona! Gösteremiyordu, kuşku uyandırırdı. Gizlice kullanıyordu, ona bakmak için tuvalete kapandığı bile oluyordu.

Hiçbir neden yoktu bunu düşünmeye. Ama çantası koltuğunun altında, tek başına, Amsterdam sokaklarında dolaşmak için bir neden var mıydı? *Ritz*'de yatmak için bir neden var mıydı? Sonra ertesi gün gene trene binmek, sonra Enkhuizen'de vapura, ondan sonra da Starvoren'de trene binmek için bir neden var mıydı?

Orada, biletçinin yüzüne bakacak, gene bir şey bilemeyecekti!

Çevresinde bir kent, bir ülke, bir dünya vardı. Ve bütün bunların içinde kendisi için bir köşe, karanlık bir ev, masanın üstünde bir pembe ışık halkası, bakırdan ve fayanstan bir soba, kaygısız bir hizmetçi vardı...

Odasında bir saat hasta beklediği oluyordu, hastaları gittikçe seyrekleşiyordu.

Öyleyse ne diye içeri atmıyorlardı? Neden yüksek sesle söylemiyorlardı düşündüklerini?

Gitti, çantasını *Ritz*'e bıraktı, yürüdü. Canı yürümek istemiyordu. Hiçbir şey istemiyordu canı. Büyük kentin kendisine iyi geleceğini düşünmüştü, şimdi de ne yapacağını bilemiyordu.

Tren olsaydı hemen evine dönerdi, mutfağın kapısını iter, pasaklı hizmetçisi Beetje'ye bakar, Neel'in kalçasını okşar, kahve kokusunu içine çekerdi.

Kendini berber dükkânının önünde bulunca duraladı, en sonunda merdiveni çıktı, Karl'ın kapısını çaldı. Karşıdaki kapı açıldı. Bir yaşlı adam:

— Küçük barda, beş ev ötede bulursunuz onu, dedi...

Kupérus hiç girmemişti bu barlara. Bir basamak iniliyordu. Yalnız dört masayla bir tezgâh vardı, ardıç rakısının kokusu da mide bulandırıcıydı. Bir köşede, iki denizci hiçbir şey söylemeden içiyordu. Karl'a gelince, tek başına oturmuş, sosis yiyip, bira içiyordu.

— Gene mi geldiniz? İyi değil misiniz?

— Canım sıkılıyordu.

— Cin içer misiniz öyleyse? Bir cin ver, üstat... Duble olsun!

Kupérus bir dikişte içiverdi, Karl sessizce yemeğini yiyordu.

— Canınızı sıkan ne?

— Bilmiyorum...

— Bir kadeh daha için... Şimdi sıra bende...

Ağzını kuruladı, arkaya yaslandı, dikkatle karşısındakine baktı.

— İyi bir şey söyleyeyim mi size? dedi en sonunda. Böyle giderse, sonumuz kötüye varacak.

— Ne sanıyorsunuz?

— Bir şey sandığım yok... İşleriniz beni ilgilendirmez...

— Ne düşündüğünüzü söyleyin bana...

Kupérus o kadar konuşmak istiyordu ki yalvarıyordu neredeyse. Dayanamıyordu artık!

— Neden bir şey düşüneyim istiyorsunuz?

— Ne demek istediğimi iyi biliyorsunuz!

O zaman Karl patronun dinlediğini işaret etti, elindeki parayla masanın mermerine vurarak onu çağırdı, içkilerin parasını verdi.

— Gelin...

Bir sokaktan geçtiler, sokakta akordeon uğultuları duyuluyordu, sendeleyerek giden bir sarhoş adama çarptılar. Kaldırımın üzerinde, şurda burada kadınlar bekliyordu, ama Karl'ın onları uzaklaştırmaya gereksinimi yoktu, kendiliklerinden yol açıyorlardı.

Sokağın sonu kanaldı, ıssız bir rıhtım vardı, demirlemiş birkaç kaçak vapurun ışıkları parlıyordu. İki bardak cin Kupérus'ün göğsünü yakıyordu, kötü içkiydi çünkü, belki elli derece vardı.

— Ne istiyorsanız söyleyin şimdi bana...

— Bazı bazı düşünüyor musunuz?.. Neden söz ettiğimi biliyorsunuz... hizmetçiyi?..

Karl, yarı karanlığın elverdiğince, gözlerine baktı.

— Peki, sonra?

— Hepsi bu.

— Yok canım! Boşaltın dağarcığınızı, boşaltın içinizden gelmişken... Anlamıyor muyum sanıyorsunuz?

Gerilemek için çok geçti artık, gene de Kupérus birden korktu. Bu noktaya dek nasıl gelebildiğini düşünüyordu.

Alman'ın eline bırakmıştı kendini. Bu adam, cebinde daha para bulunduğunu biliyordu, bir omuz vuruşuyla kanala atabilirdi kendisini. Yalnız kaldı mıydı bülbül gibi söyletebilirlerdi onu. Çünkü Kupérus fazla konuşmuştu.

— Gerçeği biliyorsunuz, değil mi? diye kekeledi doktor.

Karl:

— Siz mi? diye homurdanmakla yetindi.

Daha önce de kuşkulanıyordu bundan. İş olsun diye böyle söylüyordu.

— Neel'i odanıza aldığınız zaman anlamalıydım... Böyle etki yapar hep.

— Anlamıyorum.

— Anlamanıza da gerek yok... Peki, şimdi benden ne istiyorsunuz?

— Hiç.

Karanlıkta, Karl omuz silkti, bir sigara yaktı. Gidip gitmemek konusunda duralıyordu. En sonunda konuştu:

— Ne düşündüğümü söyleyeyim: günahkârın birisiniz siz!

* * *

Günahkârın biri...

Vapurdaydı. Gene herkesi güç duruma sokmuştu. Çünkü belediye başkanlarının toplantı günüydü. Vapurda üç kişiydiler, ayın ilk çarşambasında üçüyle de briç oynamaya alışmıştı.

Kupérus kendisiyle oynamak, kendisiyle birlikte olmak istemediklerini biliyordu. Gene de önceden yerleşmişti masalarına, kâğıtları hazırlamıştı, oturmaktan başka bir şey yapamamışlardı.

Garsonun bile keyfi kaçmış gibiydi. Stavoren Belediye Başkanı, kâğıtları dağıtırken yanıldı. Üçü de oyun dışında en küçük bir söz söylemeye çekiniyorlardı.

Gerçekten günahkâr mıydı? Oynuyordu, ama başka şeyler düşünüyordu. Karl'ı, Neel'i, sabahları kahveyi yatağa getirmeye zorladığı Beetje'yi düşünüyordu.

Sonra, birdenbire, herkesin kendinden kuşkulandığını, katil olduğuna kesinlikle inandığını sezinledi. Ama tutuklamıyorlardı. Bir şey sormuyorlardı! Bilet öyküsü gibi bir kanıt elde etmeyi mi bekliyorlardı acaba? Yoksa ona acıyorlar mıydı? Ya da bir rezaletten mi kaçınmak istiyorlardı?

Daha çok buydu. Van Malderen ile karısı, dışarıya gitmesi konusunda yeterince ısrar etmişti.

O, kalmakla, bir katilin elini sıkmak zorunda bırakıyordu onları! Yoksa korkuyorlar mıydı? Acıyorlar mıydı?

Ne olursa olsun, gitmeyecekti. Bu Amsterdam yolculuğu denemesi ona yeterdi. Sneek'i, cana yakın rıhtımını, evini, köşesini bırakmak istemiyordu. Oraya gitmek, gözlerini öyküsünü bildiği eşyalar üzerinde dinlendirmek için acele ediyordu.

— Üç sanzatu...

Stavoren Belediye Başkanı rıhtıma gelmeden birkaç dakika önce güverteye çıktı. Kupérus'le birlikte görünmemek için her-

kesten önce indi. Kupérus, geçen kez olduğu gibi, gene yalnız kaldı kompartımanında.

Geceydi, o zaman da olduğu gibi. Bağırdılar:

— Workum...

On dakika sonra da:

— Hindeloopen...

Birden daha çok sarardı, çünkü gene geçen kez olduğu gibi tren yavaşlıyordu. Önceleri, burada hiç yavaşlama fark etmemişti. Az kaldı inecekti...

Ama hayır! Tren yeniden yürüyor, Sneek'te duruyordu. Memur, küçük kapının yanında durmuştu, göz göze geldiler, memur:

— Teşekkürler, doktor bey, dedi.

Hep böyle mi teşekkür ederdi ki? Anımsamıyordu. Bunun bir tehdit olup olmadığını düşünüyordu.

Kentin bir bölümünü geçti, küçük bavulu elindeydi. *Under den Linden*'in aydınlık camları önünde duraladı.

Girmekten başka yapacak şey yoktu! İnsanları elini sıkmak zorunda bırakmaktan, ortalarına oturmaktan, gözlerinin içine bakmaktan başka bir şey yoktu yapılacak!

Van Malderen oradaydı, rahatı kaçmış gibiydi.

— Amsterdam'a mı gittin?

— Evet...

Bilardoların üzerinde toplar yuvarlanıyordu, spotlarla aydınlatılmışlardı. Kulübün dört üyesi bir köşede briç oynuyordu.

Van Malderen'in bu tümcesi, elinin içindeki gevşek eller bir yana, kendisiyle çevresindekiler arasında hiçbir dokunma yoktu. Jef bile uzak duruyor, birasını bir tür kuşkuyla getiriyor gibi geldi ona.

Kudurtmak istedi onları, sordu:

— Şu cici Lina ne oldu?

Loos'la Van Malderen'e bakıyordu daha çok. Ötekiler gülümsediler.

— Gitti...

— Bak hele! Yapayalnız mı?

— Hayır! Peynirlikler üzerinde inceleme yapmaya gelen İngiliz'le birlikte...

Bilardolardan birinde, Kupérus sorgu yargıcını, kendi yargıcını gördü, başıyla selam verdi. Öteki görmedi anlaşılan.

Çevresinde bir boşluk var gibiydi, bu boşlukta birbirine çarpan topların sesi, bir insanın doğal olmayan sesi çınlıyordu bazı bazı. Gitmekten başka bir şey kalmıyordu geriye. Kalmakta dayatıyor, yeni bir bira istiyordu, sonra da bir ardıç rakısı, ardıç rakısı dünkü cini anımsatıyordu.

İyiden iyiye sarhoş dönmüştü *Ritz*'e, nasıl yattığını anımsamıyordu. Sabahleyin, Karl'ın birdenbire belirivermesinden, bir şeyler istemesinden, belki de tehdit etmesinden korkmuştu, ama tren saatine kadar kimsecikler gelmemişti.

— Jane nasıl? diye sordu Van Malderen'e.

— Çok iyi...

Herkes kendisine karşıydı! Nereye gitse, duvarlara çarpıyordu. Üstelik kuşkulanmakla yetinmeyen, bilen biri vardı. Kupérus imzasız mektubu unutmuyordu!

Karl yastığın altında boğduğu hizmetçiden söz ederken:

— Bir kaza... demişti.

Ama onunki, onunki neydi? Sonra aynı Karl ne diye:

— Siz, siz bir günahkârsınız! demişti.

Günahkâr, kırk beş yıl boyunca, çakı olayı bir yana, tek bir kötülük yapmadan yaşayan adam günahkârın biriydi, öyle mi? Hiç aldatmamıştı karısını, yalnız bir kez, Paris'te aldatmıştı. Bu da saçma bir serüvenden başka bir şey değildi, beş dakikalık bir şeydi, haftalarca süren karabasanlara mal olmuştu, hastalıktan çok korkardı çünkü...

Tam on beş yıl aynı evde yaşamış, onun daha şen, daha rahat olmasına çalışmaktan başka bir şey düşünmemiş bir günahkâr, öyle mi?

Bütün hırsı Schutter'in yerine kulüp başkanı olmak olmuş bir günahkâr, öyle mi?

Ağlamak işten bile değildi!

— Bir ardıç rakısı, Jef...

Her zamankinden fazla içiyor diye bakarlarsa baksınlar! Bilmek gereksinimindeydi, içki de düşünmesini kolaylaştırıyordu.

Alandaydı: Karl istemeden, hapisten kurtulmak için öldürmüştü.

Ama kendisi neden öldürdüğünü hâlâ söylemiyordu...

Kalktı, başı ağırdı.

— Kim benimle bir iki yüz yapacak? diye sordu.

Kimsecikler yanıt vermedi. Yanakları kırmızı, gözleri parlaktı. Birbiri ardından hepsine baktı. Sarhoşluğun dizlerini gevşettiğini duyuyordu.

— Kim benimle bir iki yüz yapacak diye sordum, diye yineledi.

Dizlerinin gevşediğini fark etmeyeceklerini sanıyordu. Ama Franz Van Malderen, bir zamanlar ötekilerden daha yakın dostu olmasından yararlanarak, horgörüsünü gizlemeye de çalışmadan:

— Gidip yatsan daha iyi olur, görüyorsun! dedi.

Amsterdam'da nasıl soyunduğunu anımsamadığı gibi, o gece de kahveden nasıl çıktığını pek anımsayamadı. Kapı kapandıktan sonra uzun bir sessizlik, onun ardından da ateşli konuşmalar başladı kahvede.

VI

Sabahın onuydu, Kupérus yeni giyinmişti, kravatını bağladığı sırada donakaldı. Birdenbire bir piyano müziği sızmıştı evin içine: önce tembel, kararsız birkaç nota, sonra daha kesin sesler, Schumann'ın bir etüdüne başlıyordu.

Kendisine böylesine dokunan şeyi bir zaman anlayamaması bir gün önce içmiş olmasından değildi. Şaşkınlık değildi içindeki duygu, birdenbire duyulan bir özlemdi. Gözleri aynada, son günlerin Kupérus'ünden farklı bir Kupérus, üzgün, aşağı yukarı çılgın bir Kupérus buluyordu.

— Mia!.. diye kekeledi.

Mia geri dönmüştü! İyi olmuştu belki de! Altüst olmuştu işte doktorun kafası, sorgu yargıcının önünde söyleyeceklerini neredeyse unutuyordu.

Yandaki, liman tarafındaki ev ötekilerden daha küçüktü; ama her yıl yeniden boyanan kapısı, pencereleri, kolalı perdeleriyle daha temiz, daha parlaktı. Brandt'ların eviydi burası. Brandt'ların yaşamı sokaktaki bütün insanların yaşamından daha sakin, daha düzenliydi; çünkü Brandt erkek lisesinde öğretmendi. Bayan Brandt da yüksek kız okulunun müdiresiydi.

Belli bir saatte gider, belli bir saatte dönerlerdi, evde hizmetçiyle küçük Mia kalırdı yalnız, küçük Mia şimdi on ikisindeydi.

Mia okula gitmezdi; piyano çalışırdı. Orada, duvarın tam arkasındaydı, Kupérus'ün hastalara bakarken yüz kez işittiği parçayı çalıyordu.

Mia hastaydı. Kışı İsviçre'de geçirmişti, doktor da müziğin yokluğunu fark etmez olacak ölçüde unutmuştu onu.

Dönmüştü işte, müzik yeniden etkiliyordu evi!

— Küçük hanım dönmüş, dedi ardında bir ses.

Neel'di bu, melon şapkasını fırçalıyordu.

— Evet, dönmüş, diye mırıldandı.

Çıkmak için dosdoğru koridordan geçeceğine, yemek odasıyla salondan dolaştı. Salonda, üzeri resimlerle, biblolarla kaplı bir düz piyano vardı.

İskemlenin üzerinde, kırmızı kadifeden bir minder vardı, Mia daha çok küçükken sırf onun için yapılmıştı.

Çünkü hemen her gün öğleden sonra (sabahları bir öğretmenden ders alırdı) Bayan Kupérus'le çalışmaya gelirdi, Bayan Kupérus de piyano çalardı. Belki de çikolata kutusu hâlâ büfede duruyordu.

Neel kapıya kadar Kupérus'ün arkasından geliyordu.

— Çantanızı unutmadınız mı? diye sordu.

— İstemez.

Kupérus, o sabah, kendisini saat on birde yargıcın odasına çağıran resmî yazıyı alınca rahatlamıştı. Ama şimdi bu birkaç piyano notası yüzünden, salondan üzülerek ayrılıyordu, giriş kapısının arkasında bildik bir gürültüyle kapandığını duydu.

Piyanoyla çikolatadan daha dikkate değer bir ayrıntı vardı: Brandt'lar akşam döndükleri zaman, duvara vururlardı, küçük kız bu işaret üzerine hemen evine koşardı!

Hava bulanıktı. Kupérus, omuzlarına çöken kederi dağıtmaya çalışıyordu, Jane Van Malderen'in her zamanki gibi durduğu cumbaya ilgisizce baktı. Az kaldı, yüzüyle bir işaret yapacaktı.

Antoine nasıl konuşacaktı onunla? Yargıcın, Groven'in küçük adı Antoine'dı, Kupérus'le birlikte okumuşlardı. "Sen" derlerdi birbirlerine. Pek görüşmemeleri, Bayan Groven'in kötü huylu olması, Sneek'te hiçbir kadınla anlaşamaması yüzündendi.

İmzasız mektubu yazan kimse konuşmuş muydu en sonunda? İstasyon memuru kuşkuya kapılmış da bunları polise mi anlatmıştı?

Kupérus kalkarken sinirliydi, kavgaya, her türlü saldırıya karşı koymaya hazırdı. Ne diye duyulmuştu bu kör olası piyano, duyulmuş da bir dünyayı yeniden yaratmış, Mia'nın ilk gamlarından, Mia'ya iskemlenin üzerinde iki minder gereken günlerden beri birçok yılları yeniden yaşatmıştı?

Adalet Sarayı kentin başka yanlarından daha da griydi. Kupérus duralamadan çıktı, yargıcın kapısını çaldı, yanıt almadan önce, kımıldayan bir iskemle sesi duydu.

En sonunda oturum açıldı. Antoine Groven, masasının ardında ayakta, pek güvenli görünmeyen bir onurlulukla kasılırken yazmanı da not ediyordu.

— Lütfen girin ve oturun...

Elini uzatmıyordu. "Sen" demiyordu arkadaşına. Yeniden oturunca, küçük sakalını karıştırıyor, bir yandan da bir dosyanın sayfalarını çeviriyordu. Dosyanın kalınlığı Kupérus'ü şaşırttı.

— Soruşturmamı kapatmadan önce birkaç soru sormak için sizi çağırmak zorunda kaldım. Birçok rapor var burada, karanlık görünen kimi noktaları aydınlatmaya çalışmak benim için olanaksızdı.

Gereğinden de iyi söylenmişti. Ezber okuyan bir okulluyu andırıyordu. Gözlerini dosyalardan ayırmaya cesaret edemiyordu.

— Örneğin burada, bildiğiniz olaylar sırasında, evinizin bir hizmetçi odasında Alman uyruklu, Karl Vorberg adında, hakkındaki bilgiler de hiç iyi olmayan bir adam bulundurduğunuz yazılı. Emden'in "Polizei Praesideum"u bu Vorberg'in katil olduğundan kuşkulanıldığını, ama kanıt olmadığından sınırdışı edilmesinin olanaksız olduğunu bildiriyor...

Antoine en sonunda, çekine çekine, dayanılmaz bir görünümle karşılaşmaktan korkarcasına başını kaldırdı.

— Bu Vorberg'in evinizde bulunduğundan haberiniz var mıydı? diye sordu.

— Hayır!

— Bu durumda, başka bir rapora başvurmam gerekiyor, raporda dün, Amsterdam'ın aşağılık bir sokağında bu adamla iki kez buluştuğunuz bildiriliyor. Bunu yadsıyor musunuz?

— Hayır!

Kupérus bir türlü aklından çıkmayan piyano ezgilerini kovuyordu. Birdenbire anlıyordu her şeyi, canını sıkmamışlardı, ama hakkında ciddi bir soruşturma yapmaktan da geri durmamışlardı. Hatta kendisini izlemişlerdi de farkında olmamıştı!

Dosyaya bakıyordu, her yaprağın yeni bir tuzak olduğunu düşünerek ürperiyordu.

— Yanlışınızı çıkarmak istemezdim... Az önce Vorberg'i tanımadığınızı bildirdiniz... Şimdi de Amsterdam'da, bir günde iki kez görüştüğünüzü söylüyorsunuz...

— Doğru.

— Açıklayın.

— Olay sırasında Vorberg'i tanımıyordum... Çatımın altında bir adam gizlendiğini bilmiyordum...

— Nasıl öğrendiniz?

— Hizmetçime âşık olunca...

Yazman yanıtı kâğıda geçirip geçirmemekte duraladı. Yargıç sorar gibi Kupérus'e baktı. Doktor hemen yanıt verdi.

— Yanıtlarımın tüm sorumluluğunu üzerime alıyorum. Hizmetçime âşık oldum, az sonra da tavan arasında bir adam sakladığını öğrendim... Bu adamı uzaklaştırmak için kendisine para verdim, Amsterdam'a gitmesi koşulunu koydum.

— Patırtı etti mi?

— İyi kötü bir karşılık istemesi oldukça doğaldı. Dün de biraz yardım daha götürdüm...

Yargıç kâğıtlarına dalmıştı. Bir ara yazmanına döndü, söylediklerinin yazılmamasını işaret etti.

— Neredeyse en karanlık nokta buydu, dedi o zaman. Polis, bu Alman'ın çatınız altında bulunmasından birtakım sonuçlar çıkarmaktan geri durmuyordu... Hizmetçinizi sorguya çekmek güç değil, Amsterdam'a da yazarım, sorarlar... Bu konu bittikten sonra, dosyada fazla bir şey kalmayacak...

Daktilo ve el yazısıyla yazılmış bir sürü kâğıt dosyayı şişirirken, bu sözler alaya benzeyebilirdi.

— Adalete bildireceğiniz bir şey yok sanırım, diye sürdürüyordu yargıç.

Bunu pek çabuk söylüyordu. Kupérus'ün araya girmesinden korkuyordu sanki.

Kupérus:

— Sorduklarınıza yanıt vereceğim, diye yanıtladı.

— Sormak beni üzüyor. Hiç kuşkusuz sizin de bildiğiniz gibi Schutter'in cüzdanı kayboldu. Bu durum aşağılık bir cinayetin söz konusu olduğuna inanmaya yöneltiyor bizi. Bununla birlikte, başka kuramları gözardı etmeye hakkımız yok. Tutkudan kaynaklanan bir cinayet olasılığı da bunlar arasında. Karınızla arkadaşına ateş ettiğinizi yadsıyacaksınız sanıyorum.

Kupérus, bir an kımıldamadan durdu, tuhaf bir duralama geçirdi. Meydan okumak için:

— Yadsımıyorum! diyecekti neredeyse.

Ama yargıç, duruşuyla, başını olumlu biçimde sallamak zorunda bıraktı onu.

— Üstelik o akşam Amsterdam'dan geliyordunuz, her zamanki gibi *Under den Linden*'e girdiniz, sonra da bilardo arkadaşlarınız evinize döndüğünüzü gördüler...

— Sonra böyle bir cinayet olduğu kabul edilince, siz yalnızca bir hapis cezasına çarptırılırdınız, buna karşılık büyük bir rezalet çıkardı bence...

Kupérus hafiften gülümser gibi oldu.

— Sizin kuşku duyduğunuz hiç kimse yok herhalde?

— Hiç, deyiverdi alaya kaçmadan.

— Yazın: Doktor Kupérus'ün kuşkulandığı hiç kimse yok...

Yargıç, ayağa kalkmıştı, işi en iyi biçimde bitirmeye çalışıyordu, bu da kolay değildi.

Karşısındakine bakmaya cesaret edemeden:

— Umarım, durumu anlıyorsunuz, diyordu. Bu cinayet, bu çifte cinayet, öyle koşullar altında işlendi ki hiçbir ciddi belirti, hiçbir açık kanıt bulunamadı. Konunun mahkemeye iletildiğini varsayarsak, sanığın beraatıyla sonuçlanması büyük bir olasılık, çünkü birçok kuşkular var sanıktan yana.

Yazman kalkmış, yan tarafta bir yerde kaybolmuştu, bir muslukta ellerini yıkıyordu.

— Hangi sanık? diye sordu Kupérus.

— Bilmiyorum... Varsayıyorum... Hem artık yeni belirtiler elde edebileceğimizi umamayız bu sırada... Bugün sizi bunun için çağırttım... Bu akşamdan sonra konuyu kapatmamız olanaklı. Gönül ister ki bundan böyle olabildiğince az konuşulsun, hiçbir olay bu acı olayı anımsatmasın... Beni anlıyor musunuz, doktor?

Doktor demişti! Bu daha resmîydi! Hans demeyi göze alamıyordu kuşkusuz.

— Birkaç gün önce, rastlantıyla, tanıdığınız bir dostla, Van Malderen'le konuşuyordum, soruşturma bittikten sonra yurtdışına bir yolculuk yapmak niyetinde olduğunuzu söyledi... Sevindim, çünkü her bakımdan en iyi yol budur...

En sonunda çıkarıyordu dilinin altındaki baklayı! Masasının ardında, elleri cebinde dolaşıyordu, sözlerinin gizli anlamını daha iyi belirtmek için heceleri ayırarak konuşuyordu.

— İnandırıcı yanıtlar verdiniz sorularıma, ilgililer hemen bugün kabul edeceklerdir bildirdiklerinizi, buna inanıyorum. Can sıkıcı bir ayrıntı kalıyor geriye: ama bu da jüriye göre pek önemsiz bir ayrıntı olmaktan ileri gitmeyecektir. İstasyon dönüş biletinizi aradı, bulamadı. Ama kapıda duran memur, yolcuların, hele alışkın olanların, sık sık büfeden geçtiklerini, biletlerini vermediklerini kabul ediyor... İyi bir avukat bu ikinci noktadan neler çıkarır, görüyorsunuz!

Şimdi onu tehdit ediyordu sanki. İlgisiz görünüyordu, ama gerçek bir savlamaya girişiyordu.

— Bu kez Amsterdam'da birliğinizin aylık toplantısında bulunmayışınız da can sıkıcı bir şey. Pek hafif bir yargı, değil mi? Hiç kuşkusuz, kendinizi iyi hissetmediğinizden Sneek'e döndüğünüzü söyleyerek yanıtlarsınız. Üstelik, hiçbir zaman tabanca kullanmadınız, cinayette kullanılan silah da bulunamadı... Neyse, doktor... Görüyorsunuz ki hiçbir şeyi saklamadım sizden, açık konuştum... Az sonra, gene söylüyorum, araştırma kapanacak, ben de başka şeylerle uğraşacağım... İyi bir yolculuk yapmanızı, kentte düşünceleri bulandırmaktan başka bir şeye yaramayacak bir konunun konuşulmamasını dilerim.

Kımıldamadan durdu, soğuk soğuk, sert sert, Kupérus'e baktı.

— Söyleyecek bir şeyiniz yok sanırım?

Doktor duraladı. Şu piyano nakaratı da ne diye geliyordu aklına? En sonunda, ağır ağır, başını eğdi.

— Hiç... diye mırıldandı.

— Öyleyse, sorgu bitti... Teşekkür ederim...

Kapıyı kendisi açtı, sağ eliyle de tokmağı tuttu, elini Kupérus'e uzatmamak için yaptı bunu. Güle güle diyeceğine eğildi, doktor da başını eğip çıktı, birine çarptı, kekeleyerek özür diledi, nereden geçtiğini bilmeden sokağa çıktı.

O kadar acı çekiyordu ki, kaldırımın üzerinde, bir evin yanında durmak, eli göğsünün üstünde, kımıldamadan beklemek zorunda kaldı. Bedenle ilgili bir acı değildi bu yalnız. Tam, bütün bir acıydı bu, bütün varlığın, etin ve ruhun acısıydı.

Bu acı onun için bir ışık çizgisiydi. Daha dün, niçin öldürdüğünü sormuyor muydu kendi kendine? Şimdi bunu biliyordu: bu acı yüzünden öldürmüştü!

Yaşamındaki alçalışların en büyüğüne uğramıştı az önce. Kolejde kendisiyle okumuş bir adam, "sen" dediği, "Antoine" dediği bir adam, gençliklerinde gülünç bir hastalığını iyi ettiği bir adam, yarım saat boyunca kendisini gizliden gizliye tehdit etmiş, buyruklarını olduğu gibi kabul ettirmiş bir adam!

Çünkü bütün bunlar buyruktu, kuşku edilecek yanı yoktu!

Alçalış... Başka bir insan karşısında bu güçsüzlük duygusu, güçsüzlüğünü anlamak ve eğilmek gerekliliği...

Aynı şeyi Schutter'in karşısında da yüz kez duymamış mıydı? İmzasız mektubu alınca da...

... Schutter, kendisinden daha zengin olan, genç gösteren, zarif, pervasız olan, keyfince bir yaşam süren, her tuttuğunu koparan Schutter!..

Şimdi, kanalın kıyısında yürüyordu, ama farkında bile değildi bunun, evine gelince de posta kutusunu her zamanki gibi açtı, Neel'in önünden geçti de bakmadı.

Bir zaman sonra muayene odasına kapanıp kapıyı kilitlemişti, müzik yüzünden yumruklarını sıkıyordu. Schumann değildi şimdiki, Chopin'in *Ninni*'siydi, romantizmi Kupérus'ü deli ediyordu. Dokunsan ağlayacaktı öfkesinden!

Antoine, savcıya, Van Malderen'e, herkese:

— Tamam!.. Gidecek... derdi herhalde.

Van Malderen de, yemeğe gidince, Jane'a haber verecekti:

— Tamam!.. Gidecek...

Soğuk bir işkence gibi bir şey... Brandt'lar da şaşıran küçük Mia'ya:

— Kupérus teyze öldü... Kupérus amca gitti, diyeceklerdi.

Çünkü çocuk eve öylesine sık gelirdi ki düşsel bir aile bağı yaratmışlardı: Mia, "Kupérus teyze, Kupérus amca" derdi...

Kısacası, gene Schutter üstün geliyordu biraz! Sonuna kadar haklıydı doktora karşı!

Ne yapacağını bilmeden gidip geliyordu odasında, demir mobilyalara çarpıyor, masanın üstündeki eşyaları karıştırıyordu.

Antoine'a yanıt bile vermemişti! Sadaka verilmemiş bir dilenci gibi çıkmıştı! Kör gibi ilerlemişti koridorlarda, eski arkadaşı arkasından bakarken biraz acımış mıydı ona?

Ağlamak isterdi. Belki biraz açılırdı ağlayınca. Müzik içini sıkıyor, burkuyor, yanaklarını kızartıyordu, duvara vurdu, Mia bunun ne demek olduğunu anlamadı.

Öldürmüştü, çünkü...

Pek belirli değildi bu daha, daha doğrusu sözcüklerle, düzenli düşüncelerle anlatılamayacak bir belirtiydi...

İşte: o, Kupérus, bu evde, karısıyla birlikte on beş yıldır yaşıyordu... Çok çalışıyordu. Sabahları, yirmi dolayında yoksul hastaya bakar, bekleme odası pis kokardı...

Öğleden sonra bütün kenti yaya dolaşırdı, evlere, ölümün hazırlıklara başladığı odalara girerdi, en sonunda, saat beşte de *Under den Linden*'e gelirdi, oradan da hastalar sık sık çağırtırlardı.

Akşam, karısı bir şey örerken ya da nakış işlerken, gazetesini okurdu. Arada sırada, Van Malderen'leri ağırlarlardı. Ayda bir kez, Amsterdam'a giderdi, baldızında kalırdı.

Bir deniz yolculuğuna çıkmıştı, bir kez de Fransa'ya gitmişti.

Hepsi buydu! On beş yıl boyunca, böyle olsun istemişti, çünkü bu gerekliydi. Aynı saatlerde aynı devinimler yapılsın, düzenli yaşamın bütün alışkanlıklarına uyulsun istemişti.

Karısı salonu değiştirmekten söz edince, değiştirtmişti, çünkü Jane Van Malderen de önceki yıl kendi salonunu değiştirtmişti. Bir kürk manto istediği zaman, bir ay duralamıştı, mantıklı ve yerindeydi bu duralama. Sonra da doğum gününde sürpriz yapmıştı ona.

Buna karşın, bazı bazı, her şeyi altüst etmek, bu düzenli temeli yıkmak için korkunç bir istek duyardı. Sıkıldığı olurdu! Olmamalıydı. Çevresindeki herkes bu yola uyduğuna göre, doğru yoldaydı.

Neel'in yanından geçerken içi gıcıklandı mı sıkardı kendini, kendini hor görmeye başlardı...

Ama işte karısı... bir de Schutter!..

Hele Schutter! Aynı yoldan gitmezdi o, keyfince yaşardı yaşamını. Başarırdı da! Kulüpte başkandı! Canının istediği kadar serüven yaşardı!

Bayan Kupérus de tuzağına düşüyordu!..

Demek ki Kupérus yanılmıştı. Demek ki aldanmıştı. Demek ki, yıllar boyunca, hiçbir yere götürmeyen raylar arasında yürümüştü, budalalar gibi.

Demek ki her şey yanlıştı, bu çok iyi tutulmuş ev, yeni salon, piyano, kürk manto, Mia'nın kırmızı minderi de öyle.

İşte bunun için öldürmüştü! Çünkü artık ölümüne sıkılıyordu, çünkü Van Malderen'lerin konuk edildiği günlerde çıkarılan şarap şişesine inanmıyordu artık, çünkü artık Mia'nın piyano çalışını bile dinleyemiyordu!

Onu aldatmışlardı! Yaşamı boyunca budalanın biri olmuştu! Kulübe ikinci başkan bile seçmeyeceklerdi!

Neden öldürmeyecekti Schutter'i, karısını neden öldürmeyecekti?

Sonra ne olursa olsundu! Kendini de öldürecekti. Ya da yakalanacaktı, haklarında ne düşündüğünü söyleyecekti hemşerilerine.

* * *

Gerçek başka türlüydü. Neden? Bildiği yoktu! Kendini öldürmemişti. Ele de vermemişti, ilk akşam, karşı koyarcasına, Neel'le yatmakla yetinmişti.

Şimdi, nereye geldiğini bilmiyordu. Ezilmişti. Aynaya bakmayı göze alamıyordu artık. Antoine'ın kapıyı açışı, yol verişi, gözlerinin önünden gitmiyordu.

Müzik sürüyordu... Mia günde altı saat çalışırdı, virtüoz olmak istiyordu da.

Ah, bir ağlayabilseydi! Ama nerede! Bir hıçkırık kopar gibi yüzünü buruşturuyordu, hıçkırık gırtlağında kalıyordu.

Kapıyı öfkeyle açıp bağırdı:

— Neel!..

Sonra, Neel hemen gelmediği için, aşağıya indi, Neel sofrayı hazırlıyordu.

— Neel!

Döndü, ilgisiz gözleriyle ona baktı.

— Söyle, Neel... Hiçbir şey anlatmıyorlar mı alışveriş yaptığın yerlerde?

— Ne demek istiyorsunuz?
— İki üç günden beri, yeni bir şeyden söz etmiyorlar mı?
— Sizin hakkınızda mı?
— Evet, benim hakkımda!
— Gideceğinizi söylüyorlar...
— Nedenini söylemiyorlar mı?
Neel içini çekti:
— Biliyorsunuz...
— Senin söylemeni istiyorum...
— Bütün bu olanlardan sonra Sneek'te yaşayamayacağınızı, ayrıca sizi bundan alıkoyacaklarını söylüyorlar...
— Kim anlatıyor bunu?
— Herkes. Mahalle çocukları bana dillerini çıkarıyor, arkamdan koşuyorlar... Siz istiyorsunuz bundan söz etmemi, değil mi?
— Başka bir şey söylemiyorlar mı?
— Söylüyorlar...
— Anlat!
— Kanıt bırakmayacak kadar usta olduğunuzu, ama Schutter'le karınızı öldürenin çok uzakta olmadığını söylüyorlar.
Kupérus yan yan baktı.
— Ya sen?
— Nasıl ben?
— Sen ne düşünüyorsun?
— Pekâlâ biliyorsunuz.
— Nereden bileceğim?
— Bilmiyor musunuz gerçekten? Hiç usunuza getirmediniz mi?
Şaşkınlığı yapmacık değildi. Kapıya doğru yürüdü.
— Yalnız bundan söz etselerdi... diye mırıldandı.
— Yanıt ver! Sen ne düşünüyorsun?
— Ben her zaman biliyordum, diye yanıtladı omuz silkerek. Mektubu yazan benim...

Buna önem vermez gibiydi. Bu konuşmayı bir angarya sayıyor, bitirmekte acele ediyordu.

— Niçin yazdın bu mektubu?

— Hanım yüzünden...

— Neden ama?

— Siz Amsterdam'a gidince, gecenin bir bölümünü dışarıda geçirdiğini biliyordum. Bir kez de sabah saat dokuzda dönmüştü...

— Anlat.

— Bir gün atıştık.

— Hanımla mı?

— Evet... Hesaplarımda yarım florin eksikti... Kaybetmiştim herhalde, çünkü yarım florini çalmaya kalkmazdım... Gene de hanım tam bir saat mutfakta kaldı, bağırıp çağırdı, en sonunda yarım florini aylığımdan keseceğini söyledi... O zaman söyledim işte.

— Ne söyledin?

— Bunu yapacak olursa, bildiğimi anlatacağımı...

Kupérus kımıldamıyordu, farkında olmadan sürtünüp geçtiği olayların anımsanmasıyla ezilmişti. Çünkü dünyanın en rahat, en düzenli yaşamını sürdüğü sıralarda oluyordu bunlar! Bu patırtılardan birkaç dakika sonra girmiş olmalıydı eve, gene de hiçbir şey fark etmemişti!

— Ona söylemedin mi?

— Hayır!

— O kadar öfkeliydi ki, "Hiç durma!" dedi bana.

— Sen de yazdın!

— Hemen o gün... Ertesi gün özür dilemek için yanıma geldi. Susayım diye yalvararak beş florin bile verdi bana. Ama iş işten geçmişti.

— Beş florini de aldın, öyle mi?

— Evet.

Sözün kısası, o zamandan beri beklemişti! Çünkü bildiğini biliyordu! Olanlara hiç şaşmaması gerekirdi!

— Başka zamanlarda da para istedin mi ondan?

— Sona doğru, Karl nedeniyle.

Utanmadan, hem de hafif bir alayla söylüyordu. Böyle anıları uyandırmanın hoş bir şey olmadığını anlamıyor muydu acaba?

— Demek, ilk gece döndüğüm, çay getirttiğim zaman biliyordun?

— Beni okşadığınız zaman anladım...

Kupérus bir zaman sesini çıkarmadı, sonra birden öfkelendi:

— Defol çabuk!.. Çık dışarı! diye bağırdı.

Omuz silkerek uzaklaştığını, kapıyı ardından kapadığını gördü aynada. Sonra birdenbire örtüyü çekti, taslar, tabaklar kırıldı. En sonunda, şömineyi süsleyen bir vazoyu yere attı, bir kez Neel'den çok önce bir hizmetçi kulpunu kırmıştı da kendi eliyle yapıştırmıştı.

Hep aynı acı, aynı sıkıntıydı: alçalmıştı. Her şeyde alçalmıştı! Herkes alçaltmıştı onu, Van Malderen alçaltmıştı! Şimdi yemeğini yerken öyküyü karısına anlatan Antoine Groven alçaltmıştı. Neel alçaltmıştı.

Alice de epeyce para dökmüş olmalıydı! Böylece eşinin hiçbir şey öğrenemeyeceğini sanmıştı.

Bir ışık geçti beyninin içinden, neredeyse öfkeden bağıracaktı. Para Alice Kupérus'te durmazdı, kendinde dururdu. Öyleyse karısı, Neel'e para vermek için, ya evin masrafını kısmış ya da Schutter'den istemiş olmalıydı!

Bu daha doğruydu! Ağlayarak hizmetçi öyküsünü anlatmıştı ona! Schutter de yatıştırmıştı onu, florinleri avcuna koymuştu...

Az kaldı bir şey daha kıracaktı, ama bu bir şeye yaramazdı. Rahatsızdı. Boğulur gibi oluyordu. Nereye oturacağını, ne

yapacağını bilemiyordu. Sıkıntı yükseliyordu. Korkunçtu, ürperti öylesine zorluydu ki kapıyı açtı, bağırdı:

— Neel!..

Neel isteksizce geldi, sordu:

— Ne var?

Soluk soluğa yanıtladı:

— Doktor De Greef'e telefon et... Hemen gelsin...

Zayıfladığını duyuyordu. Titreyişler yüreğini avuçluyor, sıkıyordu, yüreği bir sünger gibi sıkılıyordu.

Neel'in yukarı çıktığını, telefonu eline aldığını, doktorla konuştuğunu duydu. İndiğini gördü.

— Hemen geliyor... Bir şeye gereksiniminiz yok mu?

— Bırak beni...

— Rahatlasanız, artık bunu düşünmeseniz daha iyi edersiniz. Olan oldu.

— Sus!

— Rahat rahat yolculuk etmenize engel olan ne?

— Sus diyorum sana!

Göremezdi, dinleyemezdi artık onu.

— Çık dışarı! Bırak beni!..

Belki de ölecekti, bir an susan müzik de yeniden başlıyordu işte. Bütün notaları, bütün düzenleri biliyordu. Bekliyordu onları.

Doktor De Greef'in kapıyı çalışını iyice işitebilmek için gidip ara kapıyı açtı.

VII

Elini elektrik düğmesine uzattı, bir kez daha yaktı. Gece masasının üstünde saat on bir buçuğu gösteriyordu. Beşinci, belki de altıncı kez, bir bardak su içti, sonra, huzursuzluk içinde, yağmur damlalarının çıtırtısını dinledi.

Oda çok sıcaktı, Kupérus'ün kanı derisine yürümüştü. Sol yana dönünce, göğsünde bir rahatsızlık duyuyordu, ama şimdi bunun tehlikeli bir şey olmadığını biliyordu.

De Greef söylemişti bunu, o da uzmanların en iyisiydi, Groningen'de, Amsterdam'da bile söylenirdi adı. Buna karşılık, kötü davranmıştı. Daha girerken, Kupérus'ün elini sıkmamanın bir yolunu bulmuştu.

Çantasını bırakıp eldivenlerini çıkarırken:

— Siz mi hastasınız? diye sormuştu.

Zayıf, soğuk bir küçük adam, kır saçlı, hatları ince, daha çok sivri, cildi fazla ak.

— Soyunun.

Belki de meslektaşının hastalığından çok, başka şey düşünüyordu. Neel havlu getirmek için odaya girince, arkasından bakmıştı. Hizmetçinin de sözünü duymuştu kuşkusuz.

— ... Bunalma gibi bir şey mi diyorsunuz?

— Sözcük yerinde değil... İspazmoz...

— Soluk alın...

Kupérus çok daha büyük, çok daha güçlüydü. De Greef'in başı, çıplak göğsünün yüksekliğine geliyordu tam. Yarım saat boyunca, uzman hekim, meslektaşının kalbini dinledi, kısa sorular sordu yalnız, düşüncelerinin hiçbirini belli etmemişti.

En sonunda Neel'i çağırmış, elini yıkamak için su istemişti, gömleğinin kollarını kıvırmıştı.

— Ne var? diye sormuştu Kupérus, sabırsızca sormuştu.

— Daha çok korkuyorsunuz.

De Greef bunu horgörüyle, görünüşü kadar soğuk bir sesle söylüyordu.

— Bu kadarcık bir hastalık için bir uzman rahatsız edilmez, işi var, gücü var herkesin.

— Göğüs ağrısı da yok mu?

— Gölgesi bile yok!

— Bu ispazmozlar da mı yok?

Öteki omuz silkmişti.

— Dinleyin: doktorların size hiçbir ilacı yok. İnsan olarak, basit bir öğüt veririm size, olabildiğince çabuk gitmeniz. İlle gerekiyorsa, hizmetçinizi de götürün.

Kapı kapanır kapanmaz, yandaki piyano yeniden başlıyordu. Kupérus öfkelenmişti o zaman. Neel'i çağırmıştı. Bağırmıştı:

— Git komşulara söyle de sustursunlar şu Allah'ın belası piyanoyu!.. Hasta var de. İşitiyor musun?

Hizmetçi işitiyordu, ama başını sallıyordu.

— Ne bekliyorsun?

— Böyle şey olmaz.

— Ne o? Kabul etmiyor musun?

— Biliyorsunuz ki böyle şey olmaz.

Şimdi göğüs ağrısı olmadığını, korkulacak bir tehlike olmadığını biliyordu, bile bile, isteyerek hiddetleniyordu, kendinden geçmişti.

Homurdanarak, elini kolunu sallayarak mutfağa gitmişti, Beetje mutfakta bulaşık yıkıyordu.

— Gel buraya!.. Elini kurula da bitişiğe git, Doktor Kupérus'ün bugün müzik istemediğini söyle.

Kızcağız ne yapması gerektiğini anlamak için Neel'e bakıyor, Neel de olmaz diye işaret ediyordu.

— Yapamam... diye kekeledi o zaman.

— Ne diyorsun?

— Yapamam diyorum.

Korkunç, çirkin bir şey olmuştu. Başlangıçta küçük hizmetçiyi tartaklamış, o da ağlamaya başlamıştı, o zaman da susturmak için birçok kez tokatlamıştı. Sonra Neel'e akla gelen bütün küfürleri savurmuştu, gülünç tehditler de savurmuştu.

En sonunda, soluk soluğa, salona kapanmış, büfede ardıç rakısı bulmuştu biraz, tek başına, hâlâ alçak sesle mırıldanarak içmeye başlamıştı.

Akşam yemeği yememişti. Neel sofrayı hazırlamak için kapıyı çaldığı zaman yanıt vermemişti. Muayene odasına, sonra da odasına gitmişti, bavullarını yerleştirmeye başlamıştı.

Şimdi, bitmişti. Kentin gürültüleri kesilmişti, evindekiler de. Bir yağmur kalıyordu geriye, çinkonun ve camların üzerinde çıtırdamakta dayatıyordu, soba da sıcak dalgaları gibi bir şeyler dağıtıyordu.

Kupérus içerilik ceketini kaptı, kapıyı açtı, merdivene vardı, üst kata, tavan arasına çıktı. Gürültü etmiyordu. Sanki kendi kendinden korkuyordu. Kapı kilitli değildi, açtı, bir sürtünme

gibi bir ses duydu, uyanan birinin devinimini, Neel'in açık gözlerini gördü, ışığı açtı.

Neel'in de ateşi vardı. Bütün ev fazla sıcaktı. Yandaki yatak boştu.

— Beetje nerede?

— Gitti.

— Ne gitmesi?

— Evi bıraktı, ailesinin yanına döndü.

— Tokatladım diye mi?

Neel uykusundan alınmıştı, derisi parlak, gözkapakları kalın görünüyordu.

— Dünden gitmek istiyordu.

— Neden?

— Siz de benim kadar biliyorsunuz! demek istercesine içini çekti Neel.

Kupérus başka yanlara bakarak:

— İn! dedi.

— İlle de istiyor musunuz?

— İn diyorum sana!

Neel, öğleden sonraki patırtıya yeniden başlamaya hazır olduğunu sezdi, önce bir bacağını, sonra ötekini yataktan çıkardı, terliklerini giydi, pembe geceliğinin üzerine bir manto geçirdi.

— Geliyorum...

Ayaklarını sürüklüyordu. Hâlâ uyuşuktu. Odaya gelince:

— Burası çok sıcak, dedi. Pencereyi aralamalı...

Araladı. Sonra şöminenin yanında, ayakta, bekledi. Kupérus kapıyı kapatmıştı, ne yapacağını, ne diyeceğini bilemiyordu. Neden gidip onu getirdiğini bile bilmiyordu.

— Seni incittim mi az önce? diye sordu, yüzüne bakmıyordu.

— Benim için önemi yok.

— Ya Beetje? Anlatır mı dersin?

— Elbette!
— Başka bir şey söylemedi mi?
— Deli olduğunuzu söylüyor.
— Dinle, Neel.
— Dinliyorum!
— Bak, ne yapacağız. Bu gece ikimiz de bavullarımızı hazırlayacağız, yarın sabah da Paris'e giden ilk trene bineceğiz...
— Siz isterseniz binersiniz...
— Ya sen?
— Ben gitmek istemiyorum.
— Benimle yaşamayı kabul etmiyor musun? Yanıt ver! Kabul etmiyor musun?
— Hollanda'dan ayrılmayı kabul etmiyorum.
— Ya sana Côte d'Azur'de, Nice'te yaşayacağımızı söylersem, bak, bütün gün boş olacaksın orada.
— Fark etmez.
Onu hiç bu denli sakin, bu denli güvenli görmemişti. Önerisini ilgisizce geri çeviriyordu. Sonra gitti, pencereyi biraz kapattı, donduracu bir soğuk geliyordu.
— Bavullarınızı hazırlamanıza yardım ederim.
— Dinle beni, Neel! Ciddi konuşuyorum! Benimle gelirsen, evleneceğim seninle, işitiyor musun?
O hep uzaklardaydı.
— İstemem.
— Karım olmayı kabul etmiyor musun?
— Evet.
— Neden?
— Hiç! Hoşuma gitmiyor da ondan.
— Burada kalırsam?
— Evinize bakmayı sürdürürüm, eskisi gibi.

Neel'e bakmayı göze alamıyordu artık, odanın içinde dolaşıp duruyordu.

— Yat, dedi.

— Burada mı?

— Evet, burada.

Aynada devinimlerine bakıyordu, mantosunu yere düşürdükten sonra çarşafların arasına girdiğini görüyordu.

— Siz yatmıyor musunuz?

— Yatmıyorum daha.

— Uyumak için bir ilaç alsaydınız.

Hayır! İlaç almayacaktı! Uyumak istemiyordu. Düşünmek istiyordu. Bunu da öfkeyle yapıyordu. Günün bütün olaylarını aklından geçiriyordu, Antoine Groven'i ve uzak nezaketini, küçük doktoru ve buz gibi horgörüsünü yeniden görüyordu, tokatları yiyen Beetje'yi, kendisiyle evlenmeyi rahatça yadsıyan Neel'i yeniden görüyordu.

Birdenbire kararlılıkla:

— Gitmeyeceğim! dedi.

Hizmetçinin karşı geleceğini, şaşkınlıkla yerinden sıçrayacağını umuyordu. Hiçbir şey işitmeyince, yatağa döndü, yarı yarıya uyumuş olduğunu, gözkapaklarını hafiften araladığını gördü.

— Anlıyor musun, Neel? Gitmeyeceğim! Korkmu-yorum onlardan. Bana bir şey yapamazlar.

— Yatın.

— Yarın nasıl bir oyun oynayacağım onlara göreceksin. Beni çıldırtmak için el ele vermiş hepsi.

Neel gözlerini kapıyordu, Kupérus birden ilk akşamı anımsadı ona bakınca, kan beynine sıçradı.

— İşitmiyor musun, Neel?

Dışarıda hep yağmur, karanlık evde sessizlik.

Yalnız bir küçük köşe vardı canlı olan, hizmetçinin rahat bedeninin uzandığı yatak köşesi.

Gene uyumuştu, rahatı kaçırılan bir tazı yavrusu gibi homurdandı.

* * *

Allah belalarını versin! Hepsinin belasını versin! Yazmıştı, en düzgün yazısıyla yazmıştı:

"Değerli dostum,

Çok önemli bir iş için seninle evimde, olabildiğince çabuk, görüşmek istiyorum. Bekliyorum.

Hans Kupérus."

Mektubu Van Malderen'e, yazıhanesine Neel götürmüştü. Dönmüştü şimdi. Kupérus koridorda onu gözlüyordu.

— Ne dedi?

— Gidip gitmeyeceğinizi sordu.

— Ne dedin?

— Bilmediğimi söyledim.

— Gelecek mi?

— Söylemedi.

Yolda, giderken, pirzola almıştı, bir de marul almıştı. Mutfağa gitti, bildik sesler geldi mutfaktan. Kupérus'e gelince, bir şarap seçmek için mahzene indi, her zamanki yerine koydu şişeyi, bardaklarla, bisküvilerle tepsiyi hazırladı.

Piyano hep çalıyordu, ama müzik doktorun canını sıkacak yerde havayı ağırlaştırıyordu, bu yüzden de heyecanları şiddetlendiriyordu.

Gitmeyecekti, karar karardı! Gitmemekle de kalmayacak, durumu tersine çevirecek, olağanüstü bir şey yapacaktı.

Van Malderen'in pencerenin önünden geçtiğini gördü, zilin çaldığı anda kapıyı açsın diye bağırdı Neel'e.

Hizmetçi, konuğun şapkasını, pardösüsünü alırken, Kupérus salonda kaldı.

— Geldim, dedi Van Malderen içeriye girince. Bana bir gereksiniminiz mi var?

Daha başlangıçta, "siz" diyordu, "sen" demiyordu, bu da anlamlı bir şeydi.

— Sana ya da size gereksinimim var, nasıl istersen öyle olsun. Oturun!

Kupérus iki bardak şarap doldurdu, ilk tümcesini hazırlarken kendi bardağını içti.

— Sağlığınıza!

— Teşekkür ederim. Sabahları içmem.

— Ne yapalım! Bir avukat olarak başvuruyorum size. Bir dava açmak istiyorum...

Şaşkınlık, hatta şiddetli bir tepki bekliyordu, ama Van Malderen kaşlarını çatmakla yetiniyordu.

— Beni katillikle suçladılar. Dostlarım dışarıya gitmemi öğütleyerek belli ettiler bunu bana. Onurumu kurtarmak için bir tek yol görüyorum: bir namus davası açmak istiyorum.

— Kime?

— Bilmiyorum daha. Karar vermek avukata düşer. Başta sorgu yargıcı, odasına çağırarak, yersiz şeyler sorarak...

Van Malderen omuz silkti.

— Başkaları da var... Karın var... Sonra daha dün meslektaşım De Greef...

— Bağışlayın, diye içini çekti Van Malderen, sürdürmeye gerek yok, bu işe bakamam.

— Kabul etmiyor musunuz?

— Etmiyorum.

— Avukat olarak, bir müşteriyi savunmayı kabul etmiyor musunuz?

— Avukat olarak da, arkadaş olarak da. İnsan olarak da! Bir kez bu işin iler tutar yanı yok, çünkü genel bir lekeleme olmadı. Sonra dava hem gülünç, hem çirkin olur. Sonra da...

— Sonra da?

— Savunmak istemediğim şeyler vardır. Benim hakkım bu. Şimdi, canınız isterse, sırasıyla baronun bütün avukatlarını çağırın, bir tekinin bile kabul etmeyeceğine bahse girerim.

Kapıya doğru yöneldi.

— Franz! diye bağırdı Kupérus.

— Ne var?

— Son sözün bu mu?

— Evet, son sözüm, ileride de sizinle konuşmak zorunda kalmamak isterdim.

Neel'i beklemeden kapıyı açtı, pardösüsünü sırtına geçirdi, sokağa doğru yürüdü.

Piyano hep çalıyordu. Kupérus dirseklerini şömineye dayadı, aynada yüzünü inceledi. Başı çok şişkindi. Gözleri yorgun, dudakları hırçındı. Bütün varlığında bir yorgunluk duyuyordu, aynı zamanda da kendine karşı sıcacık bir sevgi.

Herkes ona karşıydı! Herkes canını sıkıyordu! Ne pahasına olursa olsun yola çıkartmak istiyorlardı onu, o da işte sokağına, evine, çevresindeki her şeye yapışıyordu, bu müzik parçalarına bile.

Dirseğinin yanında karısının portresi, Paris'te yaptırttığı portresi vardı, Kupérus uzun uzun baktı buna, kendine acıdığı gibi ona da acıyordu.

— Size bir pirzola hazırladım, dedi Neel.

Döndü. O da yorgundu. Yüzü sıkıntısını, huzursuzluğunu ortaya koyuyordu.

— Ne söyledi size? diye sormayı göze aldı.

Kupérus içini çekti, omuz silkti.

— Hepsi bana karşı!

— Görüyorsunuz ya!

— Neyi görüyorum?

— Gitmek daha iyi...

Yemeğini verdi, bir zaman durdu.

— Düşündüm. Bir sürü saçmalık yapacaksınız gibime geliyor. İlle de istiyorsanız, örneğin Brüksel'e kadar gelirim sizinle. Orada Hollandalıların dilinden anlarlar herhalde. Birkaç hafta kalırım, siz kendinizi toplayıncaya kadar kalırım, sonra dönerim...

Aşktan değildi bu, acımadandı. Boyun eğmiş bir tavırla yapıyordu bu öneriyi.

— Gitmiyorum artık!

— Hata ediyorsunuz.

— Neden?

— Çünkü gitmek zorunda bırakacaklar!

Gene kızdı.

— Kimse beni zorlayamaz buna, işitiyor musun? Kanıt yok ellerinde! İmzasız mektubu yazdığını söylesen bile bir şey çıkmaz... Kim gördü beni, ha? En küçük bir somut kanıt göstersinler bakalım.

Gidip dışarıya baktı: rıhtımın bir köşesini, daha yaprak açmamış iki ağacı; kanalı, karşıdaki evleri görüyordu. Biri geçiyordu, bir el arabası sürüyordu. Bir yerde çanlar çalıyordu ve yağmur durmadan yağıyordu.

Soluğu camı buğulandırıyordu. Dudaklarının altında perdenin nakışlarını duyuyordu.

Alice Kupérus'ün kendi eliyle işlediği bir perde! Dövme bakırdan saksı kılıfı da pencerenin kenarında duruyordu, Brugge'den, balaylarını geçirdikleri yerden almışlardı.

Neel, pirzolayı masanın üzerine bırakıp mutfağına dönmüştü. O da dönüyordu, salonu, yemek odasını görüyordu, eşyaları yerli yerinde buluyordu, sonra piyanoyu, iskemlenin üstündeki minderi, müzik çekmecesindeki parçaları, sonra gök mavisi yumağı...

Öylesine gerçekdışı bir mavilikteydi ki içlendi, değerini daha iyi anlamak için eline aldı. Neredeyse ele gelmez bir şeydi.

Böylesine göksel bir cisim, böylesine arı bir renk nasıl yaratılabilirdi?

Örgü iğnesi daha yumaktaydı, ucundan yeni başlanmış bir örgü parçası sarkıyordu.

Sabahleyin, evde giymek için küçük bir giysi olmalıydı...

Yumağı düşürdü, aldı, bir daha bakmamak isteğiyle masanın üzerine koydu. Portreyi de görmek istemiyordu artık. Bir koltuğa bıraktı kendini, halılı koltuğa, her akşam burada, abajur pembe bir ışık halkası verirken okuduğu gazeteyi düşündü.

Gitsin istiyorlardı! Başka yerlerde, Brüksel'de ya da Paris'te, hatta Côte d'Azur'de ne yapacaktı? Hiçbir şey olmayacaktı artık, köksüz bir adamdan başka bir şey olmayacaktı, Karl Vorberg gibi. Uyurken yanında Neel bile olmayacaktı. Hiçbir şeyi olmayacaktı.

— Neel!.. diye seslendi. Üzgündü, dertliydi. Neel ilk bakışta anladı bunu. Yerine, soğumuş pirzolasının önüne oturduğunu gördü.

— Yanıma otur, olmaz mı? Senden istediğimi yap, Neel! İkimiz birlikte yiyeceğiz, güzel güzel. Bana böyle bakma.

— Tencereyi ateşin üstünden kaldırmam gerek.

Hemen geri döndü, oturdu.

— Görüyor musun? Böyle iyi değil miyiz, ikimiz de? Söyle, bize ne yapabilirler? Hiç! Canları isterse havlasınlar. Param var benim. Hastasız da yaparım.

— Yemiyor musunuz?

— Yok canım! Yiyeceğim. Sakinim şimdi. Sen yemiyorsun...

— Karnım aç değil.

— Gene de yemek gerek. Yoksa küserim. Sen, sen benden korkmuyorsun değil mi?

— Hayır.

— Öyleyse beni bırakmayacaksın... İkimiz de burada yaşayacağız. Canın ne isterse yapacaksın. Ama bana söz vermelisin, Neel: beni hiçbir zaman bırakmayacağına yemin et. Annenin başı üstüne yemin et.

Neel, şaşkınlıkla başını çevirdi.

— Yemin etmek istemiyor musun? Benimle kalmak istemiyor musun?

Neel korktu, Kupérus'ün sesi değişmişti. Bir gün inanmadan, kendine meydan okurcasına düşündüğü şeyi, kendisini bırakırsa Neel'i öldürmeyi düşündüğünü anımsadı belki de. Ne olursa olsun, görülmedik, düşüncelerden boşalmış gibi gözlerle bakıyordu ona.

— Kalacağımı biliyorsunuz.

— Yemin et öyleyse!

İlla ki istiyordu. Ne pahasına olursa olsun, bu yemini koparmak istiyordu.

— Yemin ediyorum...

— Annenin başı üstüne.

Beklerken titriyordu.

— Anne... annemin başı üstüne.

Kupérus'ün yüzü ışıldadı, neredeyse çocukça bir sevinç gösterdi.

— Görüyorsun!

— Neyi görüyorum?

— Her şeyin yoluna girdiğini! En sonunda her şeyin düzeleceğini biliyordum! İkimiz de burada kalıyoruz, evimizde. Yemekçeğizimizi birlikte yeriz. Birlikte yatarız. Şarap da içmeni istiyorum.

— Ben şarap sevmem...

— Bundan bir şey çıkmaz. İçmen gerek.

Bir bardak şarap doldurdu ona, o da uzatınca almamaktan çekindi.

— Her gün bir şişe içeriz. Akşam, ben gazetemi okurken, sen de gelir nakış işler, ya da örgü örersin.

Neel, bir zamandır gevelediği lokmayı yutamadan, dudaklarının ucuyla:

— Evet, dedi.

Kupérus kalktı, gök mavisi yünü bulmaya gitti.

— Bunu bitireceksin. Ben istiyorum!.. Hemen bu akşam başlayacaksın...

Neel artık bir şey söylemeyi göze alamıyordu. Kesik kesik soluk alıyordu. Sobanın horultusu duyuluyordu.

— Anlıyor musun, Neel? Yalnız Mia'yı yollamayacaklar buraya. Ama biz gene de duyacağız çalgısını. Çikolata yollayacağız ona! Büfede kalmış olmalı, onun için alınandan. Hanım nereden alırdı, biliyor musun?

Neel başıyla, "evet" diye işaret etti.

— Neel!

Kendini aynada görmekten çekiniyordu, yerine geçiyordu, makine gibi şarap dolduruyordu bardağına.

— Bir sigara ver bana.

Neel şöminenin köşesine konulmuş kutulardan birini almak için onun arkasından geçmek zorunda kaldı. Döndüğü zaman,

eğilmiş bir sırt gördü, Kupérus'ün başını, masanın üstünde kavuşturulmuş kollarının üzerine düşmüş gördü.

Gırtlağı yırta yırta boğuk hıçkırıklar çıkarken, omuz da sarsıntıyla inip kalkıyordu.

— Beyefendi! diye bağırdı hizmetçi, çılgına dönmüştü. Beyefendi! Kendinize gelin, beyefendi.

Ama o hep ağlıyordu, soluk alamıyordu, duramıyordu.

— Beyefendi! Yalvarırım.

Ne yapacağını bilemiyordu. Çevresinde dönüyordu. Bu acı korkutuyordu onu, çünkü bundan böyle hiçbir şey bu acıyı silemez gibi geliyordu.

— Yalvarırım!

O da ağlıyordu, nedensiz yere. İlk kez bir adamın ağladığını görüyor, bundan utanç duyuyordu.

Yanına yaklaşmıştı, Kupérus yüzünü göstermeden elini kımıldatınca da kaçmamak için kendini zor tuttu, ama o elini tuttu, sıktı, hıçkırıkların sonu gelmiyordu.

Posta kutusunun çıtırdadığını duymuştu. İçine düşen bir mektubun gürültüsünü bile seçebilmişti.

Küçük bir çocuk bir görünüm resminin üzerine bir tek sözcük çiziktirmişti: *Katil.*

Kupérus, yüzü hep saklı, mendilini almak için cebini yokluyordu.

VIII

— Dikkat! Katil geliyor...

Ve hemen veletler dağılıyor, kaldırımdan ayrılıyor, Kupérus'ün gölgesinden uzaklaşıyordu. Kupérus, hep aynı adımlarla, aynı yönde, her gün aynı seferi tamamlayarak geçip gidiyordu.

Evin kapısının yanında, bakır bir plakanın üzerinde aynı sözcükler vardı hâlâ:

Doktor Hans Kupérus
Muayene her gün 7-11 arası

Ama artık kimsecikler gelmiyordu. O da vakit geçirmek için, elleri cebinde, dolaşıyordu. Yavaş yavaş bir yol seçmişti kendine, bu yol öylesine değişmez olmuştu ki bazan insanlar, o geçerken:

— Saat on olmalı. Doktor geçti, diyorlardı.

Önce bozuk kanalın kıyısından gidiyordu, üçüncü taş köprüyü geçip büyük kanala, her yönden yüklerle dolu vapurların geldiği yere varıyordu.

Van Malderen'lere yakındı, gözlerini cumbaya doğru kaldırmayı hiç unutmuyordu, orada Jane'ın bir iş üzerine eğilişini göreceğinden kuşkusu yoktu.

Saat on birde, katedral yanında, bir evlenme ya da bir cenaze törenine rastlamadığı enderdi, on bir buçukta da okullardan çıkan çocuk sürülerine rastlıyordu.

Her şeyi görüyor, her şeyi aklında tutuyordu. Hangi sokak lambasının hangi gün yeniden boyandığını yanılmadan söyleyebilirdi. Dolaşan postacılara, sütçülere rastlıyor, pazar günlerinde de inekleri sayıyor, fiyatlar üzerinde tartışan köylüleri dinliyordu. Bir sıvacı, Belediye Sarayı boyunca dikilmiş iskeleden düştüğü zaman yüz metre ötedeydi. Öbür yolcularla birlikte koşmuştu. Sonra çekine çekine ilk sıraya kaymış, adamın üzerine eğilmişti.

Gırtlağı kurumuştu, yaralının elini, kolunu, başını yokluyordu. Meslektaşlarından birinin kapısını çaldıklarını duyuyordu.

O da gelmiş, tek sözcük söylemeden, eliyle yaptığı bir deviniyle uzaklaştırmıştı onu.

Buna alışmıştı! Artık hiç dokunmuyordu! Temmuzda, pencereler açıkken, küçük Mia, onun geçtiğini görünce:

— Kupérus amca geçiyor, demişti.

Kupérus de babasının sesini iyiden iyiye işitmişti:

— Kupérus amca demeyeceksin bir daha ona. Amcan mamcan da değil hem.

Günler böyle geçiyordu işte. Değişmez bir biçimde, saat beşte *Under den Linden*'in kapısını itiyordu. Hiç kimse selam vermiyordu ona. Adı kurul üyeleri listesinden silineli çok olmuştu. Onun varlığının farkında değilmiş gibi davranıyorlardı.

Jef tezgâha yaklaşıyor, tepsinin üzerine bir bira bardağıyla küçük bir ardıç rakısı kadehi koyuyor, doktora getiriyordu, tek sözcük söylemeden, bakmadan. Kupérus parayı masanın üzerine bırakıyordu, garson ancak o gittikten sonra alıyordu.

Neylersin! Orada duruyordu, bilardo oyununa bakıyordu, bütün eski dostlarına bakıyordu, konuşmalarını dinliyordu.

Kendi yeri vardı, hep aynı. Değişmez biçimde, aynı saate kadar kalıyordu.

Düşündüğü yalnız kendini ilgilendirirdi. Hiç kimse bilemezdi, Neel bile, bir akşam ağladığını gören Neel bile.

Karl'a, hep Amsterdam'da olan Karl'a mektup yazmıştı.

"Delirmesi yakın sanıyorum. Ne olursa olsun, uzun zaman yaşamayacak. Geçen hafta noteri çağırdı, vasiyet etti, buna göre tek mirasçısı benim. Bankada daha otuz bin florini olduğunu söyledi bana, kendi malı olan ev de caba."

Saat yedide, anahtar kilide giriyordu. Kupérus, kanalın suyundan daha sakin havayı, evin havasını buluyordu. Bir insanın geçişi havayı hiç bulandırmıyordu, karıştırmıyordu sanki. Kapılar, aylar boyunca kapalı kalmış gibi, açılırken gıcırdıyordu.

Şapkasını askıya asıyordu, aynaya bir göz atmayı unutmuyordu, hiçbir duygu okunmayan, sert yüzünden hoşnut gibiydi.

Sofra hazırlanmış oluyordu. Neel, tabakları getiriyor, efendisinin karşısına oturuyordu.

— Van Malderen üst üste yüz kırk iki sayı yaptı, diyordu kendisiyle oynamışçasına. Karısıyla birlikte sekiz gün Ostende'da kalacak.

Neel, önlemlilikle yanıt veriyordu. En ufak bir şeyden öfkeleneceğini biliyordu. Çünkü neredeyse olanaksız bir şey istiyordu, anlatılması bile olanaksız bir şey.

Akşam, böyle yemek odasında oldular mı, Neel artık Neel olmamalıydı. Karısının giysilerini boyuna uydurtmuştu, o da giyiyordu. Yavaş yavaş, saçlarının biçimini bile değiştirtmişti.

Birkaç dakika içinde sofrayı kaldırması, odaya dönmesi, lambanın altına oturması, başladığı işi sürdürmesi gerekiyordu.

Gök mavisi örgüyü böyle bitirmişti, giymeye yanaşmadığı gün de Kupérus korkunç bir öfkeye kapılmıştı, komşular yankısını duymuşlardı.

Kupérus, ayakları terliklerinin içinde, dudaklarında bir sigara, gazetesini okuyordu. Zaman zaman, başını çevirmeden, mırıldanıyordu:

— Bir tayfun Filipinler'de beş yüz kişinin ölümüne neden olmuş.

Ya da:

— Birleşik Devletler'de otuz sekiz maden işçisi bir çöküntünün altında kalmış.

Neel sakınılması gereken şeyin ne olduğunu doğru olarak söyleyemezdi. Gününe göre değişiyordu bu. Kimi zaman bir sözcük, kimi zaman bir duruş, kimi zaman bir susuş.

Çünkü o zaman, Kupérus'ün yüz çizgileri birdenbire sertleşiyordu. Gazetesi elinden düşüyor, gözlerini, ölümlülerin gördüklerinden başka şeyler gören bir adam gibi, boşlukta bir noktaya dikiyordu.

— Yarım florin! diye homurdanıyordu.

Neel'in çıkmaması gerekiyordu, çünkü bunalım hızlanıyordu o zaman. Karşı gelmemesi, gözlerini yere dikip sessizce beklemesi gerekiyordu.

Kupérus kalkıp karşısına geçiyor, bakıyordu. Alay etmekle başlıyordu, ama hemen gözdağına dönüyordu alayı.

— Değil mi, Neel!.. Yarım florin! Öyle ya, her şey bundan çıktı, yalan mı? Hesaplarında yarım florinlik bir yanlış çıkmasa, karım sana hiçbir şey söylemeyecekti. Karım sana söylemeyince de imzasız mektubu yollayarak öç almayacaktın...

Bir aşağı bir yukarı dolaşıyordu. Birtakım küçük değişikliklerle hep aynı sözcükler geliyordu diline, bir şişe şarap içtiği günlerde daha acı oluyordu sözcükler.

— ... O zaman da şimdi senin yerinde olacaktı! Sen de mutfakta, kendi yerinde olacaktın.

Gözleri insanlıklarını yitiriyordu gittikçe. Başkalarının gördüğü şeyleri gördüğüne inanılamazdı gerçekten. Her şeyin arka yüzünü görür gibi bakıyordu ya da onun için eşyalar canlı varlıklarmış gibi.

Karısının portresi hep oradaydı. Kupérus'ün ona bakmadığı akşam yoktu.

— Anlıyor musun şimdi? Bütün bunlar elli sent için! Evin hesaplarında yarım florinlik bir yanlış!

Öfkesinin şiddetlenmesi için karşısında bir insan bulunmasına gerek yoktu. Ateş kendiliğinden yükseliyordu. Anılara mı sürüklüyordu acaba?

— Göremem artık seni... Git!.. Git, uyu!.. diye bağırıyordu en sonunda Neel'e. O da sessizce kalkıyordu.

Yukarıya, tavan arasına çıkıyordu. Kapıyı açık bırakıyor, aşağıda onun dolaştığını, tek başına konuştuğunu duyuyordu. Soyunuyor, ama mantosunu elini uzatınca alabileceği bir yere koyuyordu, gerisini biliyordu çünkü.

Kupérus en sonunda odasına gidecekti. Yatacaktı, sonra, on dakika uykusuzluktan sonra, kapısını açacak, seslenecekti:

— Neel!..

Yalnız uyuyamıyordu. Neel yanına geldiği zaman, Kupérus az önceki öfkesini unutmuş gibi davranıyordu.

— Yat. Önce bir bardak suyla ilacımı ver bana...

Çünkü uyumak için ilaç alıyordu. Neel daha çeyrek saat inlediğini duyuyordu ve, gözleri açık, düşünüyordu.

Öteberi almak için, kentin öbür ucunda bulunan başka bir semte gitmek zorundaydı, çünkü satıcılar, doktorun sorumluluklarını ona yüklüyorlardı. Kimileri yıllardır birbirlerini sevdikleri-

ni, Bayan Kupérus'ten kurtulmak için fırsattan yararlandıklarını ileri sürüyordu.

Çevrelere göre değişen, türlü türlü söylenceler doğmaktaydı. Çocuklar için, Kupérus devler gibi, şeytan gibi doğaüstü bir varlık oluyordu. Kupérus'ün yaklaştığını görüp kaçarken tir tir titriyorlardı.

Ya piyanodaki küçük kız, piyanosunu çalarken, eski Kupérus amcasının duvarın ardında gezinip durduğunu duyunca neler düşünürdü?

— Sakın bir şey söyleme ona!

— Ne yapar ki?

— Seni öldürür!

Kupérus bunu biliyordu, duyuyordu. Her zamanki yürüyüşüyle gidiyordu ve *Under den Linden*'de oyuncuların, daha çok gençlerin kendisine baktıkları zaman heyecanlandıklarını, sayıları kaçırdıklarını gördüğü oluyordu.

Bilmiyorlardı! Hiç kimse bilmiyordu, çünkü dünyalarından sıyrılıp çıkmıştı, yalnız kendisinin bildiği bir dünyada yaşıyordu.

Küçükken, uyandığı zaman duvar kaplamasının, kendisine göre –belki de yalnız kendisi için– Vercingétorix'in başına benzeyen bir çiçeğine bakardı hep. Ama bu cansız bir baş değildi yalnız. Gününe göre, gülümser ya da tehdit ederdi, en sonunda işin içyüzünü anlamıştı. Baktığı açıya bağlıydı bu, böylece canı istediği zaman öfkeli, canı istediği zaman keyifli görebilmişti Vercingétorix'i.

Bu dünya da içinde yaşadığı dünyaydı biraz. İnsanlar geçtiğini görüyorlardı. Onlar için, bir adamdı, dertli bir adam, her zaman karalar giymiş, her zaman sessiz bir adam, büyük gizlerin ya da acı pişmanlıkların kemirdiği bir adam.

Ama hiç de öyle değildi! Ötekilerin bildiği Sneek kenti onun için yoktu. Annesinin başka bütün yağlıboya çiçekler gibi bir çiçek diye baktığı Vercingétorix'in başı gibi yeniden yaratmıştı onu.

Onun kendi coğrafyası, yalnız kendisinin içlidışlı olduğu bir dünyası vardı. Okulun sokağı gibi! Altı yaşındayken karşıda otururdu. Bir yayı vardı, ağaçtan okları vardı. Duvarın üstüne bir nişan yeri çizmişti. Kapıcı, nişan yerini silerken, tuğlalardan birinin köşesini kırmıştı, çukuru hâlâ görünüyordu.

Değil mi ki zamanın önemi yoktu, aynı sokağın köşesinde otuz yıl atlıyordu: bir gün, daha yeni evlendikleri sırada, doğum yapmış bir dostlarını görmeye gitmişlerdi, evlerine umutla dönmüşlerdi.

Daha sonra...

Ama daha ötelere gitmeye gerek yoktu: dünyası, bıçak gibi gizemi, akşamları çoğu zaman onu öfkelendiren gizemiyle birlikte arkasından geliyordu, nereye gitse, geliyordu.

Elli sentin, Neel'in yarım florininin gizemi! Yarım florin yaşamını değiştirmişti! O olmasa başka türlü olacaktı! Gene hastalara bakacaktı. Başka hastaların evine gidecekti. Gece doğumlar için uyandıracaklardı...

İnmeye karar vermeden önce pencereden bağırırdı:

— Ne var?

Söylediklerini çok tehlikeli görmedi mi homurdanırdı:

— Yarın sabah gelirim.

Yada:

— Ben gelene kadar ılık bez koyun.

Yarım florin! Ama başka bir şey daha vardı, biliyordu! Sokakta gördüğü insanların, Van Malderen'lerin, yargıcın, Doktor De Greef'in, bütün ötekilerin aklından bile geçmeyen bir şey biliyordu.

Gidip gelişlerine bakıyordu, bakışının alaylı olmasını önleyemiyordu, onlarda kendini görüyordu çünkü, olaydan önceki adamı görüyordu!

Örneğin Pijpekamp, *Under den Linden*'deki dostlarına:

— Yarın Paris'e gidiyorum, diyordu.

Kupérus'ün gözleri parlıyordu o zaman. Pijpekamp Paris'e gidiyor diye hepsi heyecanlanıyor, yaşamlarından, kentlerinden, günlük bilardo oyunlarından iğreniyorlardı!

Yandaki sinemada bir aşk filmi izledikleri zaman, karılarından bıkıyor, kitaplardaki kadınları düşlüyorlardı.

Yoldan geçenler, bisiklet satıcısı, denizcisi, bakkalı, hepsi, hepsi, başka bir şey düşlüyor, sıyrılmak, kurtulmak istiyordu.

Kendisi de öyleydi önce! Sıyrılmak, kurtulmak isteyerek insan öldürmüştü, iki insan öldürmüştü hatta!

Yarım florinden çıkmıştı hepsi. Yarım florin öyküsü bir hizmetçinin kiniyle birleşmişti. Hizmetçinin kini, dolap beygiri gibi dönmekten bıkmış bir adamın karışık ruhuyla buluşmuştu.

Hepsi buydu! Kimseler bilmiyordu! Bu halkayı yalnız kendisi biliyordu, her gün aynı dakikada, aynı yerden geçmesinin nedenini yalnız kendisi biliyordu.

Çünkü o kaçmıştı! Ve boşluktan ürkmüş, olabildiğince çabuk dönmüştü. Duvarlara, evlere, bütün alışkanlıklarına, şöminenin üzerindeki sigara kutusuna, sobanın yanında duran şişeye, koltuğa, belli günlerde kurulan pazarlara, bilardo masasının üstünde birbirine çarpan topların bildik sesine bağlanmıştı.

Yorulmadan, iğrenmeden dönüyordu dolap beygiri gibi.

Evine dönüyordu. Yıllardan ve yıllardan beri aynı kilitti, ve aynı çıtırtı, aynı temizlik, aynı cila kokusu çarpıyordu yüzüne.

Sofra hazırlanmış oluyordu. Neel tabakları getiriyordu.

Artık onu arzulamıyordu! Dokunmuyordu! Bir rehin gibi tutuyordu yanında...

— Karl'dan mektup aldım. Yarışlarda kaybetmiş, biraz para istiyor.

Ne çıkardı? Yollayacaktı! Bilmiyordu, –çünkü, her şeye karşın, bilmediği şeyler vardı daha!– Neel'in öğleden sonra mutfakta bir mektup yazdığını bilmiyordu:

"... Senin küçük toz paketini kubura attım, çünkü korkutuyor beni. Hemen kuşku uyandırır gibime geliyor. Ayrıca bunun fazla dayanmaması da olanaklı. Her gün biraz daha tuhaflaşıyor. Bazı akşamlar, kendisi uyurken elini tutayım istiyor."

Neel, Alice Kupérus'ün pembe giysisini kendi boyuna uydurmuş, giyiyordu. Dana pirzolası vardı. Kupérus sordu:

— Bourgogne şarabı çıkardın mı?

— Evet. On beş şişe kaldı yalnız.

Şarap içiyordu, bu akşam patırtı olacaktı demek, hatta zorlu bir patırtı olacaktı, yarım florin öyküsü baştan sona anlatılacaktı. Daha rahatça yemeğini yemek, çeyrek saat, belki de daha fazla, dikiş dikmek için zamanı vardı. Öteki çağırıncaya kadar uğraşmak için odasında bir başka iş bırakmayı da unutmamıştı.

— Jane Van Malderen gribe tutulmuş... diye haber verdi.

Az önce, *Under den Linden*'de, Van Malderen söylemişti.

Böyle önemsiz, sessizliklerle kesilen tümcelerle, sonra gazetenin buruşturulması, Kupérus'ün hoşlandığı kaza öyküleriyle girmek gerekiyordu patırtıya:

— Bir uçak, yedi yolcusuyla birlikte Kuzey Denizi'ne düşmüş.

Neel içini çekiyor, sabırla bekliyordu.

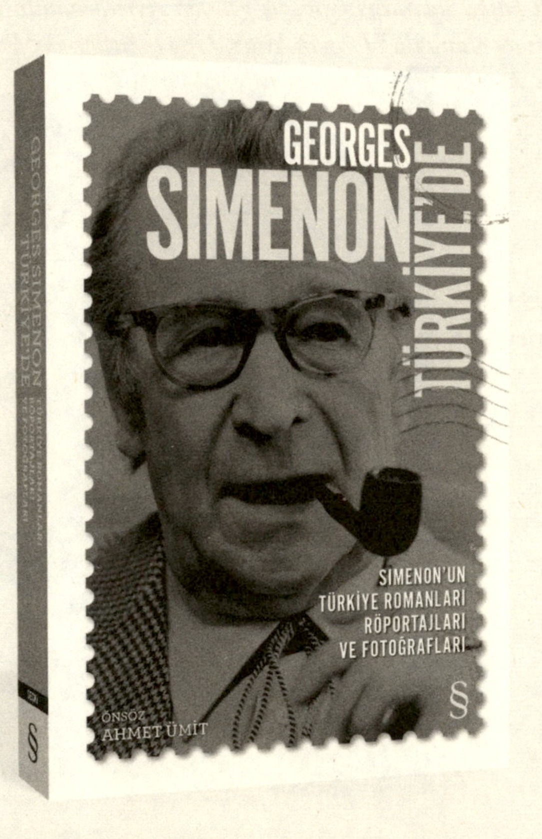
GEORGES
SIMENON
TÜRKİYE'DE
SIMENON'UN
TÜRKİYE ROMANLARI
RÖPORTAJLARI
VE FOTOĞRAFLARI
ÖNSÖZ
AHMET ÜMİT

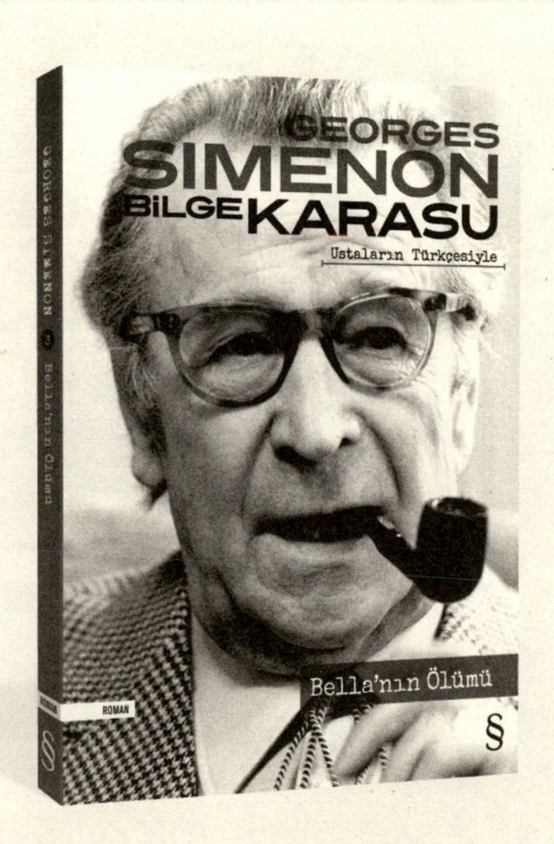
GEORGES
SIMENON
BİLGE KARASU
Ustaların Türkçesiyle
Bella'nın Ölümü
ROMAN
GEORGES SIMENON
Bella'nın Ölümü

D0494003